B

B

당신의 교육철학을
한 권의 책에 담아 드립니다

비사이드 북스

X

교육실천이음연구소

좌절의 늪에서
희망을 그리다
:햇병아리 초등교사의 생존일지

이동현

차례

글쓴이

열정이 관성이 되어
살아온 사람

|

이동현

열정이 관성이 되어 살아온 사람. 학생의 눈높이에서 따뜻한 눈빛과 필요한 것을 주려 하나 생각보다 어렵다. 그러나 포기하지 않을 것이다. 학생과 함께 안온한 교실을 구상하며 미래 교육을 연구하고 있다.

B 저자인 나와, 독자인 나는 시간을 두고 조금씩 달라집니다. 온전한 나를 소개하는 문장을 찾을 때까지 나에 대한 소개는 수시로 다시 쓰여져야 합니다. 그 부지런한 이해로 당신은 더욱 당신다워질 겁니다.

글쓴이

B

나를 이루어 온 경험은
무엇인가요?

성장과정과 학생 시절의 경험, 특히
교직을 택한 경험을 되돌아봅니다.
자신이 의미를 두는 경험에서 얻은
성찰과 역량을 발견합니다.

그리고 그것이 어떻게 어우러져
지금의 나를 형성해왔는지
인식합니다.

시간의 흙먼지에 묻어둔 지난 날들

대화한 날_ 2023. 10. 11.

완성한 날_ 2023. 12. 3.

시간의 흙먼지에 묻어둔 지난 날들

Intro: 나를 담아낼 마지막 기회일지도 모른다

찬바람이 스치던 2022년 어느 가을날, 메신저와 에듀파인으로 수없이 공람 되는 공문 가운데 문집을 제작하기 위한 예산을 지원한다는 공문이 시선을 잡아끌었다. 잉크가 채 마르지 않은 교사 자격증으로 교단에 서서 처음으로 1년을 온전히 함께한 학생의 생각과 추억을 담아내고 싶었던 마음이었으리라.

보름 동안 학생과 제작 과정을 함께하였다. 저마다 1년 동안 자신이 배운 것과 소중히 여긴 것, 무엇보다도 저마다의 소중한 '그때 그 순간'이 담긴 초고에 교열과 편집으로 그들이 침식되지 않고자 애를 썼다. 그렇게 졸업하는 학생의 손에 졸업장과 그들의 생각이 담긴 책을 쥐어주며 언젠가는 나의 책을 한번 써보겠다고 생각하게 되었다.

그 생각을 실행에 옮기는 것에는 시간이 필요했다. 입대를 앞두고 있었으며, 나의 마음을 있는 그대로 종이에 옮길 엄두가 채 나지 않았기 때문이었다. 그렇게 4월, 찾아오지 않을 것 같던 입대일이 왔고 2달여 간 논산과 평택에서 훈련병 생활을 했다. 두 달 남짓의 시간은 나를 있는 그대로 보게 했다. 저마다의 배경을 뒤로 하고 고된 훈련과 사회와의 단절에 찾아오는 고독과 불안을 마주해야 했던 시간이었다. 교사로 살아가며 가려지고 잊힌 나의 모습과 고민이 가리지 않고 밀려 들어왔다. 어지러워지는 마음을 달래야 했던 나는 훈련소에 들어가기 전, 굳이 필요할지 싶었던 메모장을 꺼내 끄적였다. 순간순간 드는 생각을 담아내며 조금씩 나는 나의 이야기를 쓸 용기를 찾았고, 5월 말 자대를 배치받으며 세상과 다시 연결되었다.

자대 배치 후 허락된 생활의 여건은 허용적이었다. 일과시간 전후에 주어진 시간을 큰 간섭 없이 운용할 수 있었고 별도의 제한이 없는 한 주말은 담장 밖 세상을 거닐 수 있었다. 군인의 신분에 느끼기 힘든 자유를 비교적 허락받은 조건이었다. 그 조건 속에 살 수 있는 시간 1년 4개월 동안 나는 그 용기를 산출물로 만들어야 하겠다고 생각하고 있던 찰나, 교육실천이음연구소에서 진행하는 '당신의 교육철학을 한 권에 담아드린다'라는 활동을 함께할 것을 친분 있는 동료로부터 제안받게 되었고, 비슷한 시기에 SNS에 관련 홍보글이 올라왔다. 나를 돌아볼 수 있는 산출물을 학급운영의 책임에서 자유로운 상황에 제작하는 다시 오지 않을 기회였다. 25년의 삶을 6주 동안 성찰하여 담아낸다는 것이 쉬울 리 없었으나 장고 끝에 악수를 둘까 두려워 덜컥 신청하였다.

덜컥 시작된 글을 담아내고 보니 날카로움과 치기가 글 밖으로 미어져 나옴을 느낀다. 그리고 시간이 흘러 언젠가 다시 이 글을 보게 될 때 이 순간의 단상을 부끄럽게 다가오지 않을까 두렵다. 마치 어렸을 때 쓴 일기를 지금 볼 때 쑥스럽다 못해 이불을 뒤집어쓰고 싶은 것처럼. 하지만, 그 감정이 나쁜 것은 아니지 않은가. 시간이 흘러 바래고 찌들어진 심신 앞에 펜을 든 그때 풋내나는 자기 모습을 보았을 때의 쑥스러움이 되돌릴 수 없는 선택과 책임 앞에 느끼는 절망과 찾아오는 부끄러움과는 다르지 않겠는가.

그리하여 나는 용기를 낸다. 지나온 시간 가득한 부끄러움과 지금, 이 순간 여기까지 올 수 있어 느끼는 고마움이라는 양립하기 어려운 정서를 바탕으로, 치열했던 과거와 다시 오지 않을 소중한 지금, 그리고 한 치 앞도 모를 시간 앞에 놓인 심신을 가다듬는다. 이제 내가 겪고 보았던 교육과 앞으로 나아가야 할 교육을 담아내기 위해 펜을 든다.

시간의 흙먼지에 묻어둔 지난 날들

솔직한 경험과 단상을 바탕으로 하되, 이성과 감성의 균형을 염두에 두었다. 초등교육과 자녀 교육에 관심을 가진 모든 사람에게 도움이 되는 내용으로 구성했다. 하지만, 근본적으로 이 책은 나의 청춘을 헛되지 않게 만들어준 소중한 제자와 사도(師道)를 밝히라며 독려해 주신 사람들, 그리고 엄혹한 현실 속에서도 초등교사의 길을 선택한 후배 교사를 생각하며 쓰고 기운 책임을 밝힌다.

경주마의 학창시절, 그리고 2017 수능

우선 그 펜의 끝을 과거로 향해보려 한다. 책을 펴내며 제일 먼저 스스로 내가 어디서 비롯되었는지, 나를 지금 이 순간까지 잡아끌어 낸 사건은 무엇인지 물었다. 비단 책을 펴내기 위해 던진 질문은 아니었기에 식상할 만도 하였으나 자문할 때마다 항상 새삼스레 다가오는 물음이었다. 그리고 그 답변 또한, 나를 흔들었던 당시의 기억에 따라 세부적인 내용은 차이가 있었으나 핵심은 통했다. 바로 치열하게 살아내어 어떤 것을 이뤄내거나 지식이 축적되는 경험이었다.

나는 욕망하는 존재였고, 지금도 그렇다. 나를 얽매이게 한 욕망은 크게 두 가지였다. 하나는 지적 욕구였고, 다른 하나는 성취욕이었다. 공부를 하거나 책을 내려놓고 잠시 여행을 떠나며 얻게 되는 지식들이 마치 게임에서 과제를 수행하며 얻는 보상마냥 기뻤다. 이처럼 견문이 넓어지는 기억은 점점 나를 지적 욕구를 충족시킬 수 있는 환경에 스스로 노출시켜야 한다는 판단의 기초가 되었다.

지적 욕구도 컸지만 나는 성취욕에 제일 얽매이지 않았나, 그리고 두 욕망은 학창 시절에 정점을 찍었다고 생각한다. 수학 문제 하나를 해결하기 위해 하룻밤을 지새우다가도 문제가 해결되었을 때, 특히 답안지와 다른 풀이로 문제를 해결하였을 때 밀려오는 상쾌함은 누적된 피로를 씻어내었다. 그리하여 지적 욕망과 성취욕이 결부된 내가 공부가 재미없다고 말하는 다른 학생을 볼 때, 치기 어리게도 이해되지 않았다. 학창시절 나와 그들에게 놓인 문제와 학습의 의미가 전혀 다르다는 것을 고려하지 못했으니 말이다.

　　　나를 만들고 얽매는 지적 욕구를 충족할 수 있는 곳에 이르기 위해서 나는 모질어야 했다. 내가 성과를 이뤄낼 수 있는 부문을 철저히 가려내어 오로지 그것에만 집중했다. 그것이 학업였고, 다행스럽게도(?) 입시에서 학생을 평가, 서열화하는 부문과 같아서 선택의 정당성마저 부여된 것이나 다름없었다. 초등학생 때부터 나의 능력을 입증할 유일한 수단인 것 같았던 시험들, 짧게는 내신(학교 시험)과 모의고사, 길게는 수능과 대학 입시라는 목표를 향해서 돌진했던 나는 경주마였다.

　　　경주마에게 관객이 바라는 것은 성과이다. 그것은 나 자신도 원하는 것이기도 했다. 나의 선택으로 자연스레 학교는 경기장이 되어버렸고, 교실에 있는 학생은 모두 경쟁자로 정해졌으며, 그리고 학교 안의 교사는 경기 조건과 평가 항목을 정하고 경기를 주관하는 심판이 되었다. 그렇기에 나는 그 성과를 이룰 수 있도록 모든 계획을 수립하고, 행동을 이행하고자 노력했다. 나의 말과 행동, 옷매무새 등 모든 것이 평가 요소가 될 수 있었기에 오로지 평가에 유리한 말과 행동만을 실행에 옮기고자 했다. 내면에서 올라오는 언행이 있더라도, 나는 평가에 불리할 수 있다는, 입시라는 경기에서 패배하면 미래가 없다는 소위 '이성적인 판단'으로 짓누르며 버텼다. 그것마저도 버티게 할 수 없을 때는 책상을 떠나서 집 근처 강변을 산책하여 기분을 전환하고자 했다. 그렇게 입시 성공을 위한 위태로운 사이클을 이어갔다.

　　　하지만, 그 순환은 2016년 11월 17일, 2017 수능으로 깨지게 된다. 하늘을 가르는 모든 비행체를 멈추게 하는 날, 나의 인생에서 오지 않을 것 같았던 수능날부터 무참히 깨어지게 된다. 수없이 많은 시간과 노력을 밑거름으로 삼으며 준비한 나는, 국어 시험지에 박힌 글자가 눈에 들어오지 않은 순간부터 깨지기 시작했다. 과거보다는 현재가, 현재보다는 미래가 더 나아질 수 있도록 자신을 연마하고 몰아붙이는 것이 성공으로 이어질 수 있다는 신념, 나를 수년간 공부하고 지탱했던 가설은 수시 원서 6장이 휴지 조각이 되며 기각되었다.

학창 시절의 결말은 비참했다. 모든 것이 부정된 것과 같은 느낌이 들었다. 하지만, 주저할 새가 없었다. 아직 고등학교 학기가 끝나지 않았고, 입시도 끝나지 않았다. 어디서부터 잘못되었는지 돌아보았다. 평가를 위해 내면을 갈고 실력을 키우는 것이 아니었던 자신을 발견했다. 당근을 본 망아지와 같이 살았던 학창 시절의 경험은 나에게 뼈아픈 패배를 안겼고, 공부와 인생에 대한 큰 교훈을 주었다. 하지만 나는 다시 대학 입시에 도전할 시간과 대학 합격증이라는 안정적인 조건을 확보해야 했다. 그리고 그것이 간절하기도 했다. 그렇게 나는 당시의 내신과 수능 성적을 기준으로 넉넉하게 합격할 수 있었던 C교육대학교로 원서를 넣었고, 나의 고향에서 차로 2시간 반이 걸리는 그 대학은 나의 입학을 허가했다.

순진한 미소가 돌려버린 인생의 자침

대학 입학은 모든 것이 낯선 환경에 직면하는 것을 의미했다. 한 번도 가보지 않았던 지역에서 4년간 학업을 수행하는 것을 넘어, 나의 특색과 주관을 파악하여 주도적인 삶을 설계할 수 있는 시민의 삶을 준비해야 하는 것이기에. 대학은 정답을 철저히 따르면 되는 학창 시절과는 달리, 누구도 정답이 무엇인지 알려주지 않음과 동시에 냉혹한 가치판단과 평가로 재단하는 어른의 세계였다. 헤매고 또 헤맸다. 재수를 앞둔 상황은 그 고민을 망각해 주기는 고사하고, 해결되지 않는 의문을 키우고 나를 주저하게 했다.

그러다가 그해 5월 첫 교생실습을 하게 되었다. 실습생에게 수업 시연을 요구하지는 않았고, 실습학교에서 수업에 대해 관찰하고 이에 대한 소감을 1주일간 쓰도록 하는 시간이었다. 안온한 공기와 사방에 활강하는 벚꽃잎이 둘러싼 늦봄에 정장을 맞추고 실습 학교로 갔다. 학교 수업은 내가 보기에 무난했지만, 수업 중간중간에 있는 쉬는 시간은 그렇지 않았다. 수업을 시연하는 공간과 교생이 대기하는 공간이 별도로 분리되어 있었는데, 공간을 이동할 때마다 실습 담당 교사의 학생들이 나의 팔을 붙잡으며 놀아달라고 아우성쳤다. 처음에는 어떻게 해야할 지 몰라 학생을 떼어놓기에 바빴으나, 학생들은 그에 아랑곳하지 않았다. 그들은 실습 막판까지 아무 흑심도 없는 그저 순진무구한 미소와 함께 겨울철 해풍에 말리는 과메기처럼 양팔에 대롱대롱 매달렸다.

좋았고 신선했다. 아니 그보다는 충격적이었다. 내가 저 학생과 같은 나이었을 때 저런 표정을 지은 적이 있었나? 그리고 나의 입에서 놀아달라고 그렇게 쉽게 말을 꺼낼 수 있었나? 싶었다. 무엇보다도 나이가 더 많은 사람에게 저렇게 스스럼없이 다가올 수 있었나? 싶었다. 매사에 목적을 갖고 말 하나 행동 하나 신중해야 했던 나에게는 낯설다 못해 전무한 경험이었다. 그렇다. 지금으로 보면 그 나이대의 학생이면 보편적인 경험이 나에게는 없었던 것에서 온 충격이었다.

충격은 쉽게 멎지 않았다. 학생의 행동 동기를 묻는 말은 꼬리를 물고 남은 인생 어떻게 살아가야 할 것인가? 하는 정답이 없는 질문으로 이어졌다. 그리고 그 질문에 대해 답을 생각할 때마다 선연한 웃음이 뇌리에서 벗어나지 않았다. 나에게 주어진 조건들을 수단으로써 활용했던, 목적에 대한 성찰을 아깝게 여겼던 나 자신을 돌아보았다. 인술(仁術)이라는 낱말을 곱씹었다. 어진 기술, 사람을 살리는 기술이라는 명목을 내세우고 성적과 인정만을 갈구하는 시간을 보냈음을 자각했다. 그리고 앞으로 의과대학을 진학하기 위한 과정에서 올바른 목적을 좇을 확신이 서지 않음을 인정하게 되었다.

나는 지난날 살아온 것처럼 더는 그렇게는 살 수 없었다. 대학 진학, 혹은 성취라는 수단이 어짊(仁)이라는 목적으로 이어져야 했는데 현실은 정반대가 되었다. 이제라도 주객전도된 삶을 지속시킨 악순환을 끊고 나 나름대로 어짊을 실천할 방안, 즉 나 스스로 잘 맞으면서도 해야 할 일이 무엇일지 찾아보고 싶었다. 결단이 필요했다.

시간의 흙먼지에 묻어둔 지난 날들

그리하여 나는 12년간 꾸었던 꿈을 접었다. 성적에 맞춰 들어온 대학에 나는 정을 붙이고 열심히 다녀보기로 했다. 새로운 길이 열렸다. 한 번도 가지 못했던 길을 걸어가야 함을 받아들이기로 했다. 그리고 내가 초등교사로서 어떤 커리큘럼을 다져가야 할지 누구보다 치열하게 고민하기로 했다.

지난 날의 열정빌런에게

나는 학창 시절 내내 초등교사로서의 자신을 그려나갔던 동료와 내가 생각하지 못했던 전문지식과 통찰을 가진 선후배와 함께 학교에 다니면서 나만이 가진 정체성과 역량을 발견하고 특정하고자 했다. 나와 전혀 맞지 않을 것과 같던 인문학 분야의 도서를 찾아 읽고, 학교 인근에서 열리는 전문가 강연을 들으러 다녔으며, 교내 과외활동과 타 대학 학생들과 마주칠 수 있는 대외활동 중 나에게 맞는 것과 하고 싶은 것을 샅샅이 뒤졌다.

쉽지 않았다. 호기심과 이목을 잡아끄는 대외 활동은 많았으나, 초등교사의 업무와 연계할 수 있는 활동은 적었다. 넘치는 의욕에 비해 모자란 역량과 아쉬운 선택으로 박한 성과가 돌아온 활동도 있었다. 그 과정에서 겪은 어려움은 누구도 아닌 나의 선택으로 인한 나의 책임으로 귀결되는 결과였기에 뭐라 그 고충을 토로하기 어려웠다.

그런 과정 내내 나는 일관된 자세를 취했다. 정확하게 말하면 몸에 밴 열심과 열정으로 일관했다. 나의 주장을 밀고 나가는 것을 기본으로 하되, 내가 틀릴 수 있는 전제를 항상 두었다. 그러다 보니 열정이 가득한 사람이라는 호평을 받은 적도, 허허실실 넘어갈 수 있는 순간도 굳이 파헤치고 군더더기를 만들어 불필요하게 업무는 까다롭게, 관계는 껄끄럽게 만드는 빌런(악당)을 자처하게 된 적도 있었다. 후회가 밀려왔지만 열과 성의를 다하여 얻어낸 성공과 실패의 결과가 남았다. 비슷한 길을 걸어가는 누군가에게, 내가 경험한 것에 대해 궁금해하는 누군가에게 좀 더 독창적인, 적확한 도움을 줄 수 있었다(물론 교육대학의 커리큘럼 내내 배우는 교수법도 한몫을 한 건 당연하다). 실패가 시간과 열정을 허비하게 한다고 생각했는데, 나의 삶을 길게 돌아보니 꼭 그렇지만은 않다는 것을 알게 되었다. 귀중한 경험이었다.

그것은 나의 삶 전반에 대한 잠정적인 지침을 주었다. 성공하든 실패하든 최선을 다해 그것을 얻어내자는 것. 최선을 다해, 뒤돌아보지 않고 이어갔던 선택과 과정에 따른 결과에 후회하지 말자는 것. 나에게 주어진 바로 이 결과가 가장 선하다고 생각하여 받아들여야 한다는 교훈을 얻었다. 그리고 누구보다 열심히 달려왔으나 뜻하지 않은 결과로 한없이 낙심했던 나를 받아들일 수 있게 되었다. 둘도 없이 최선을 다해 수고하였으나 실패하였던, 하지만 할 일을 계속했던 모든 순간의 나에게 위로의 손길을 보내며 지금까지 나를 감당해 온 모든 사람에게 감사의 인사를 전한다.

"나는 무엇에/언제 기뻐하고

만족하는가?

나는 왜 교사가 되었는가?

내가 경험한 후회의 순간/난관/역경이

있는가?"

시간의 흙먼지에 묻어둔 지난 날들

당신은 이 글의 저자인 동시에 독자입니다. 저자인 나와 독자인 나는 만날 때마다 새로운 이야기를 만들어 갑니다. 지금 이 글을 읽는 당신의 생각을 여기에 더해보세요. 그것은 내 손을 떠난 글에 새로운 생명과 생기를 불어넣는 일입니다.

시간의 흙먼지에 묻어둔 지난 날들

나는 교사로서 어떤
이야기를 만들어 왔나요?

과거의 생애로 형성된 가치관이
교직에 들어선 후 수업, 학생,
학부모, 학급, 동료교사 혹은
교사공동체에 어떤 영향을 주어
왔는지 되돌아봅니다.
그 중에서 지금 자신의 교육에 대한
생각과 역량에 영향을 준 경험을
짚어봅니다. 그리고 그것이 어떻게
지금의 나를 형성해왔는지
인식합니다.

23개월 교사생활 리와인드

대화한 날_ 2023. 10. 18.

완성한 날_ 2023. 12. 3.

23개월 교사생활 리와인드

Prologue. 23개월 교사로 일한 소감은?

군 생활에서 나의 과거력을 처음 알게 된 사람이 던진 첫 질문은 "교사로서의 학교생활은 어땠어?"라는 질문이었다. 미군은 자국의 공교육에 처한 어려운 상황을 두고, 한국군은 점점 열악해지는 것으로 매스컴에 보도되는 교사의 처우에 관해 물었던 것이리라. 학생의 함성 대신에 Bugle Calls와 Cadence가 익숙한 요즘이 내가 23개월 동안 걸어온 교직을 다른 교육의 주체로부터 오는 간섭없이 성찰할 수 있는 시간이다. 그 성찰의 끝에 나온 대답은 과연 무엇이었을까?

S#1. 튜토리얼

대학을 2021년 2월에 졸업하기 전에, 임용시험은 경북으로 응시했다. 내가 본래 응시하려고 했던 지역이 2017년 이후 모집인원이 감소세로 돌아서더니 결국, 2019년 대비 모집인원을 절반 수준으로 삭감해 버렸다. 반면, 경북은 예년 수준으로 채용한다는 공고가 났다. 다만, 모집인원이 언제 급감할지 모른다는 소문이 돌아 유리한 조건에서 응시할 수 있는 마지막 기회라고 생각하고 시험에 임했고 다행히 합격했다. 300명 남짓 채용했는데, 중간 정도 등수였던 상황이어서 1학기 중간에 발령받을 것이라 예상했다. 그래서 발령을 받았을 때 자취방에 두고 쓸 물건들을 미리 포장해 놓고 발령을 대기하고 있었다. 그러다가 3월 중순에 A시의 B학교 교감 선생님이 전화를 걸어왔다. 5일 동안 1학년 교실에서 보결을 해주실 담임교사를 구하는데, 지원을 제안하였다. 나는 최대한 경험을 쌓는 것이 중요하다고 생각했고, 바로 하겠다고 했다. 그렇게 나는 5일 동안 1학년 담임으로 근무했다.

B학교는 대구에서 멀지 않은 학교였고, 상당히 큰 편이었다. 동학년 선생님은 거의 모두 40대 중후반 여자 선생님이셨고, 첫날 동학년 선생님 간 회의가 열려 인사를 드리니 반갑게 맞아주셨다. 그러다 3일차에 문제가 발생하였다. B학교는 저학년의 경우 담임교사가 학생을 데리고 정문까지 배웅해 주는 것으로 하교를 지도했다. 어김없이 학생을 하교 지도를 하고 교실로 돌아오는데, 갑자기 나의 휴대폰으로 전화가 걸려 왔다. 받자마자 고함과 날카로운 소리로 우리 아이가 없어졌으니 책임지라고 일갈하더니 전화가 끊겼다. 이에 학생에게 전화를 걸어 확인해 보니 이미 귀가를 한 상황. 학생과 학부모가 엇갈린 것이다. 다시 학부모에게 전화를 거니 받지 않아 문자로 상황을 전달하였고, 그에 대한 답장은 예상하지 못했던 경로로 왔다. 다음날 학부모가 교장실로 찾아가 문제가 다시 발생하지 않도록 조치해 달라고 요청했다는 것이다.

말로만 들었던 교사 - 학부모 상담을 통해 겪는 고충이었다. 학부모가 교사의 말을 들을 여유가 없는 상황에 내놓는 요구에 어떻게 대처해야 할지 기준을 세워야 함을 배웠다. 학생과 학부모의 감정에 대해 최대한 공감하되, 실현 가능성 및 형평성이 떨어지는 경우의 요청에 대해서는 나의 주관, 즉 교직관을 잃지 않고 확실히 메시지를 전달하기로 다짐했다. 이후 B학교에서 4월 중순, 한 번더 기간제 강사로 근무할 기회를 주어 2주 정도 더 근무하였다.₩

S#2. 발령, 그리고 Master Teacher L

근무를 마치니 어느새 4월 말이 되었고 직전 순번까지 발령받은 상황이 되었다. 나는 대략적인 발령 시기와 위치를 알고 싶어 경북교육청에 전화를 걸었고, 담당 장학사는 대략적인 장소와 함께 1~2주 정도 뒤에 학교에서 연락이 갈 것이라 일러주셨다. 그러면서 다음과 같은 말을 덧붙였다. "상황에 따라 발령 시기와 장소는 조정될 수 있다."라고. 그때 당시엔 그 말을 대수롭지 않게 넘겼고, 장학사가 짚어준 위치가 본가와 떨어져 있는 곳이었기에 내가 챙겨야 할 것을 살피고 있었다. 그러다 늦잠을 즐기고 있던 4월 28일 아침, 벨소리가 잠을 깨웠다. 번호를 보니 054 국번으로 시작하는 것이 아닌가. 올 것이 왔다는 심산으로 전화를 받았다. 자신을 칠곡교육지원청(이하 지원청) 소속 장학사라 소개하며, 왜관초등학교로 5월 3일 자로 발령이 났음과 동시에 29일에 임명장 수여식을 하겠으니, 지원청으로 찾아오라는 말을 전달했다. 투덜거릴 여유 없이 학교를 지도로 찾아보니 본가에서 학교까지 출퇴근이 무리 없이 가능한 상황이었다. 애써 챙긴 짐을 풀었다. 다음날 지원청에서 임명장을 받고 학교로 이동하여 관리자분께 인사를 드렸다. 학교는 지원청에서 걸어서 5분 남짓한 거리였고, 왜관역에서 10분 정도 걸으면 도착할 만한 거리였다. 경상북도의 면적을 고려했을 때 본가에서 출퇴근하는 직장생활이 드문 조건이라고 여기며 나의 교직 생활에 첫발을 떼었다.

　　　왜관초등학교에 처음으로 인사를 하러 갔을 때, 수석 선생님 L이 나를 부르셨다. 한없이 딱딱하게 느껴졌던 교무실과 달리, 갓 우린 차의 향기와 햇살이 가득한 수석교사실은 따뜻했다. 티타임을 가지며 업무적으로 주고받아야 했던 질문보다 당신이 진정 궁금해서 하고자 했던 질문을 가득 던지셨다. 그것도 당신의 아들뻘이었던 나를 배려하는 어투로. 그러다 보니 질문에 쉬지 않고 답변하면서도 오히려 힘을 얻었다. 티타임을 마치며 도움이 필요할 경우 언제든 찾아뵙겠다는 의례적으로 느껴질 수 있는 인사를 드렸는데, "수석교사실은 문턱이 없습니다."라고 화답하셨다.

　　　　　23개월 동안 신세를 지며 많은 것이 남았다. 당신은 당신의 무대였던 과학실을 언제든 열어두시며, 학생의 활달한 참여를 이끌어가되, 교사가 수업을 주도해야 할 때는 주도하는 수업을 실현하셨다. 교사-학생 간 발화와 학생의 주의를 집중시키는 방식을 비롯하여 자연스러운 수업의 흐름을 익히고 스스로 좋은 수업의 기준을 세우도록 하였다. 또한 당신은 내가 학급경영 가운데 수반되는 어려움의 경중을 따지지 않고 경청하였으며 학생을 열심히 가르치는 보람이 점차 바래져 간다고 느낄 때 적재적

소에 필요한 조언과 질책을 아끼지 않으셨다. 자기 말과 행동의 책임을 지는 것과 지위고하를 막론하고 본보기가 되는 것이 어른의 덕목이라면, 수석 선생님은 나에게 진정한 어른에 다름 아니었다.

S#3. 23개월의 실전

학교의 분위기와 교사의 성향을 파악했던 학생을 데리고 1년을 함께하는 것은 상당한 열정과 기술, 그리고 평정심을 요구한다. 특히, 발화의 의도를 막론하고 학생 자신이 하고자 하는 언행이 상대방에게 날카롭게 파고들 때가 있다. 이때, 그것이 교사 자신을 향하더라도 오롯이 듣고, 품고, 인내하여야 할 것을 교사는 요구받는다.

나는 함께하는 모든 학생이 자기 주도성을 키워갈 수 있기를 바랐다. 나는 그런 열망이 학습지도와 생활지도에 반영될 수 있도록 정말이지 최선을 다했다. 학습지도의 경우 다양하고 흥미를 불러일으킬 수 있을 법한 학습자료를 샅샅이 찾은 다음 소개하며 반드시 해내어야 할 과제는 명확하게 알림장으로 안내하고, 관련 영역에 관심이 많은 학생의 경우 개별적으로 자료와 과업을 제공하여 학급 구성원이 학급 회의에서 합의한 대로 추가적인 보상을 했다. 생활지도의 경우에는 학생 스스로 문제점을 발견한 다음 문제점을 해결하는 방식을 채택했다. 나는 학생의 행동에 대해 어떤 부분이 잘못되었는지 분석적으로 접근하여 다음에는 어떻게 할 것인지를 생각하도록 유도했다.

학생이 열심히 참여하고 따라와 주어 고마웠던 시간이었지만, 나의 지도 방식에 한계점이 보이기 시작했다. 공평과 형식적 평등을 큰 차이 없이 받아들이는 사람들에게는 학습지도 시 공언하여 제공했던 추가적인 보상을 차별로 여겼다. 생활지도에서는 자기 잘못을 점차 정당화하는 학생이 생기기 시작했고, 말과 행동을 선택할 가짓수가 적은 학생에게 오히려 내가 행동을 직접 지시하는 상황이 늘어갔다. 자연스레 그런 학급경영 방식에 이의를 제기하는 학부모도 생겨났다. 학생의 자기 주도성을 키우고자 했던 생활지도가, 도리어 학생의 입을 닫게 하는 현실이 막막했다. 학생을 향한 도의적 부채가 점점 늘어갔다.

그것을 해결해 보고자 온갖 노력을 다 해보았다. 나의 학급 경영철학이 잘못되었다고 생각하여 좋다고 하는 연수는 가리지 않고 들어보았다. 그것을 그대로 실행에 옮기기도 하였지만, 결국 일을 벌이기만 한다는 일부 학생의 평가와 우리 아이에게 관심을 가져달라는 볼멘소리가 돌아오기 일쑤였다. 학생에게 필요한 것을 제공한답시고 투입하는 열정과 시간은 늘어갔지만, 산출된 것은 볼품없었기에 답답함은 커졌다.

결국 나 스스로 머리를 써도 해결될 문제가 아닌 것 같다는 판단이 섰다. 다행히도 나에게 힘을 북돋아 주신 분은 수석 선생님만은 아니었다. 작년에 처음으로 1년간 온전히 6학년의 한 학급을 맡게 되었을 때 학년 부장이었던 W 선생님과 동학년 J 선생님이 계셨다. 수석 선생님과 동학년 선생님이었던 두 분에게 찾아갔다. 거두절미하고 답답한 현실을 털어놓았다. 수석 선생님과 W, J 선생님은 나의 말을 들으시더니, 지난 시간 수고 많았다고 위로의 말을 건네시며 당신들의 상담 패턴을 말씀하셨다. 세부적인 것은 달랐으나 학생의 말을 끝까지 듣고 좀 더 바람직한 말과 행동을 추천하며 상담을 이끌어가는 내용이었다. 당신들의 상담방식은 나와는 달리 학생의 행동을 직접 교정하면서도 사람에 따라 받아들이는 정서가 다른 말과 행동을 할 수밖에 없었던 이유를 듣는 방식이었기에 상대방의 마음을 해치지 않으면서도 학생에게 혼란을 줄 가능성이 낮은 상담이었다. 그러면서 세 선생님은 나에게 이렇게 주문하였다.

> 교사는 자신이 거의 다했지만, 결국엔 학생이 마무리한 것으로 만들 수 있어야 한다. Speak Less(해야), Teach More(할 수 있다).'

학생을 사랑했던 만큼, 그들이 사회에 나가서 주도적인 삶을 살아내도록 만들고 싶었다. 그때 내가 해야 했을 고민은 학생의 언행을 수정하도록 유도하기 위한 비계에 대한 고민이었다. 물론 자기 주도성에서 중요한 것이 스스로 생각하는 경험일 수 있겠으나 나의 방식이 누군가에게는 (특히 학생에게는) 불친절하게 다가왔을 것이다. 아무리 교사가 실패해도, 틀려도 괜찮으니 마음껏 말하라고 말하지만 그들에게는 아직 와닿지 않았으리라. 내가 해야 했을 고민과 직면했던 문제는 교육철학이라는 총론의 옳고 그름이 아니라, 그 교육철학을 뒷받침할 언행이라는 각론임을 깨달았다.

상담을 받은 이후 학생이 스스로 필요한 것을 아는 경우와 그렇지 않은 경우를 구분하지 않고 학생에게 가이드라인을 제시하고자 했다. 그리고 그것을 학습에 적용했다. 나의 노력을 학생들이 경험하는 것으로 그치지 않도록, 자신이 잘하는 것을 스스로 발견하고 탐색할 수 있는 질문을 꺼낼 수 있도록 노력했다. 그러다 보니 나의 말수가 줄어든 만큼 학생의 참여 비중이 높아지는 수업, 저마다의 강의 평가와 적용점을 나누는 학생이 나오기 시작했다. 그렇게 학생의 이목을 집중시키는 자료의 양과 교사 연수에 투자한 시간이 수업의 성공 여부와는 별로 상관이 없을 수 있다는 것을 깨달았다. 학생이 고민할 법한 지점을 찾아 그 고민을 할 수 있도록 유도하는 것, 그리고 수업 경험이 성찰로 연결된 지점에서 학생들의 몰입도와 효용이 높아지는 수업이 시작된다는 것을 뼈아프게 체득했다.

S#4. 달곰쏩쓸했어

이제 내가 서두에서 남겼던 질문의 답을 공개하고자 한다. 예상했겠지만, 나는 'It was bittersweet itself (달곰쏩쓸함 그 자체였어).'라고 답했다. 23개월의 교직 생활은 기쁨과 부끄러움의 교향곡이었다. 밤새 준비하고 조언을 구해 학급에서 활동을 진행한 후에 학생들과 다른 선배 교사로부터 긍정적인 피드백을 받았다. 지난 날의 고생이 씻어내려 가는 감사하고 기쁜 경험을 했다. 다른 한편으로는 학생에게 미련해야 할 때는 지나치게 영리했고, 기다려야 할 때는 재촉했으며, 믿어야 했을 때는 끝없이 의심했다. 물론 그 반대의 순간도 많았다. 교사로서의 전문성을 높인다면 문제가 해결되지 않을까 싶어 뒤돌아보지 않고 달리기만 했던 시간이기도 했다. 겨우 미궁에 빠진 듯한 학급 운영상의 문제를 해결할 단서를 찾은 다음 고개를 돌렸을 때는, 힘들게 따라와 준 학생의 탄식이 들리는 듯했다. 학생을 다음 학년과 학교로 올려보내고 교편을 잠시 내려놓으니, 우여곡절을 겪으며 신뢰와 기다림, 그리고 열정으로 함께한 학생에게 무한한 감사와, 이렇게밖에 못 해주어 미안하고 씁쓸한 마음이 들었다.

Epilogue. 다시 출발선에 설 때는

하지만, 23개월 동안 당신의 발걸음과 사고의 흐름을 나의 그것들과 맞추고자 시간을 내어주셨던 선생님이 계셨고, 내가 맡은 학급을 끝까지, 모든 학생을 끝까지 붙들어 가야 한다고 하셨던 선생님이 계셨다. 당신들은 학급 운영 전반에 느꼈던 개인적 정서가 지난 시간 나의 수업과 학급 운영의 개선점으로 승화되도록 하는 원동력을 제공했다. 치열하게 답을 찾고자 했던 시간이 축적된 후 당신들을 찾아뵈었을 때 자리했던 감사함과 씁쓸함은, 더 나은 교사가 되기를 바라는 당신의 바람과 사랑에서 비롯된 정서였다.

　　나의 펜은 이제 아프기만 한 과거가 아닌 냉철히 바라보아야 할 현재와 담대하게 나아가야 할 미래로 향한다. 후배를 향한 사랑을 아끼지 않았던 선배를 위해, 또다시 소중한 오늘 하루를 살 수 있도록 허락받은 나 자신을 위해, 그리고 사랑을 받아 마땅하며 자신의 철학을 갖고 꿋꿋이 살아 나갈, 다시 만날 학생들을 위해.

"교사가 된 이후 내가 경험한

공동체는 무엇인가?

나는 교사로서 어떤 경험에

집중해 왔는가?

결정적인

사람/상황/사건은 무엇인가?"

B 당신은 이 글의 저자인 동시에 독자입니다. 저자인 나와 독자인 나는 만날 때마다 새로운 이야기를 만들어 갑니다. 지금 이 글을 읽는 당신의 생각을 여기에 더해보세요. 그것은 내 손을 떠난 글에 새로운 생명과 생기를 불어넣는 일입니다.

23개월 교사생활 리와인드

내게 배운 학생들은
어떤 세상에서 살까요?

우리 사회가 어떠한 곳이 되기를
바라는지 생각해봅니다. 정치, 경제,
문화 등 사회의 각 영역에 대한
관점에 영향을 준 일들을
짚어봅니다. 그를 통하여 어떤
가치관을 형성해 왔는지
성찰합니다. 그에 비추어 현재
우리 사회의 모습을 볼 때 발견하는
괴리를 인식합니다.

한여름의 서울에서 확인한 정도正道

대화한 날_ 2023. 10. 25.

완성한 날_ 2023. 12. 3.

한여름의 서울에서 확인한 정도正道

2023년은 초등 교육계에서 여러모로 큰 의미를 남긴 해가 될 것으로 보인다. 전국 곳곳에서 소신을 펼치고자 했던 초등교사들이 악성 민원에 못 이겨 극단적 선택에 내몰린 비극적인 소식 이후 교사들이 서울에 모였다. 그들은 악성 민원에 더 이상 무력하게 당하는 학교와 교사가 되지 않도록 법적인 해결책을 모색, 아동복지법의 개정을 요구하는 집회를 기획했다. 또한 저마다 가진 외국어 실력을 바탕으로, 대한민국 공교육에 대한 열망을 세계 곳곳에 알리고자 노력한 사례가 있다. 교사의 문제 해결 능력과 의사소통 및 협업 능력이 유감없이 발휘되었다. 그렇게 7월 22일 종각역에서 시작된 교사의 외침으로 말미암아 한국전쟁에도 멈추지 않았던 교실이 멈춘 9월 4일을 전후로 그동안 조용했던 교육 당국이 반응하기 시작했다. 여론은 교사의 발걸음에 호응했다.

이기적 이타심

2023년 여름에 교사들이 보여준 행보는 자발적인 성격이 강하다. 저마다의 특기를 가진 초등교사들이 모인 것은 나의 목소리로 세상을 바꾸겠다는 욕심이라기보다는, 부조리를 모두 사라지게 할 수는 없어도 자신의 직무에 부여한 의미를 달성할 수 없게 하는 모순된 현실에 더 이상 침묵할 수 없는 양심을 지키고자 한 것이다. 즉, 교실이라는 조그마한 사회를 이끄는 책임을 이행하고자 하는 '이기적 이타심'의 발로였다. 나는 꽃다운 나이에 숨을 거두신 분

한여름의 서울에서 확인한 정도正義

들의 못다 한뜻을 망각하지 않고, 공교육이 직면한 치명적인 한계점을 바로잡고자 교실 문을 박차고 나와 모였던 사람들이 어떻게 역사를 만들 수 있는지 똑똑히 보았다. 그리고 나는 그런 행보를 지지하는 여론에서 공교육을 이끌어가야 하는 교사의 사명을 재확인했다.

우리들이 앞으로 열어가고자 하는 사회이자 학생이 살아가기를 희망하는 사회에서는 2023년 여름의 여의도 광장에서 초등교사들이 보여준 역량인 1) 문제 해결 능력과 2) 의사소통 및 협업 능력이 필요하다. 그리고 우리 사회가 개인의 창의와 특질을 존중하되, 필요할 때 함께 협력하여 그 능력을 발현시킬 수 있는 공동체로 거듭나도록 교실이 먼저 바뀌어야 한다.

특기개발을 위해 학교가 해야할 것은

교육과정이 개편되면서 학교에 역량 중심 교육과정과 학생 주도성이라는 개념이 도입되었다. 학생 스스로 자기 삶에 영향을 미칠 수 있음을 발견하고, 그 영향을 긍정적인 방향으로 승화시킬 수 있도록 학교가 노력하여야 함을, 그리고 그 중요성을 국가도 인지하고 있음을 시사한다.

그러한 사회적 요구의 시작점에 초등학교는 위치한다. 초등학교의 역할은 기초 생활 습관과 기초 학습 능력의 배양에 있다. 학교는 시민으로서 필수적으로 체득해야 할 능력을 일과 시간 중에 연마시킴과 동시에, 학생 개개인의 두각과 흥미가 드러나 자기 삶의 의미를 부여할 힘이 되어줄 섹터를 찾아낼 수 있는 공간이 될 수 있고, 되어야 마땅하다.

이를 위해 교사는 학생이 일과시간 중 다양한 분야를 접하며 제대로 성공하거나 실패하도록 이끌어야 한다. 그 결과가 학급 운영을 현저히 저해하지 않는 한 학생 스스로가 일관된 페이스로 결과를 도출한 과정을 모두 공개하고, 학생에게 긍정적인 피드백을 아끼지 않아야 할 것이다. 그리고, 과정에 대한 교훈을 학생 스스로 체득하게 하도록 해야 한다. 성공과 실패에 무관하게 모든 학생이 성장하고, 발전하며, 용납되는 교실을 만들어 마침내 학생 내면에 삶을 주도적으로 살아갈 수 있는 능력이 정착되도록 도와야 한다.

사그라든 공동체의 따뜻함

교실이라는 작은 공동체를 책임지는 사람으로서, 사람들이 공동체의 순기능을 느끼지 못하는 모습은 큰 우려로 다가온다. 올해 퓨리서치센터(Pew Research Center)에서 17개 나라의 성인을 대상으로 각자의 삶에 의미 있는 것이 무엇인지 알아보았는데, 대한민국이 대다수 국가의 경향과는 달리 '물질적 행복'을 우선적으로 골랐다. 이에 비해 가족의 의미를 최우선시하는 어른은 전체 5명 중 1명이 되지 않는 16퍼센트의 어른이, 친구와 연인, 공동체를 우선시하는 응답은 3퍼센트에 머물렀다. 가족과 친구와 같은 공동체의 자리를 돈이 차지해 버린 통계는 공동체에 대한 시민의 냉담한 인식을 보여준다. 이 상황에 대한 원인 분석은 엇갈린다. 공동체의 붕괴를 드러내는 통계로 해석할 수 있지만, 개인의 취향과 진로에 대해 공동체가 간섭할 가능성과 위력이 약해진 것에 따른 것이라는 해석이 공존한다. 해석 가운데 후자에 집중해 본다면, 유교적 가치관인 효와 충이 윗사람의 명령과 그들이 만든 문화에 아랫사람은 순응해야 하는 분위기로 변질된 것에 따른 측면이 있을 것이다. 또한, 핏줄과 학교, 출신 지역이 진로를 개척하는 과정에 미치는 영향이 점점 줄어든 측면이 있을 것이다.

공동체에 시민들이 기대하는 온기와 기대가 떨어진 이유는 응답자 별로 다르지만, 사회의 구성원으로서 각자의 책임이 분명히 있는 것은 분명하다. 특히 공동체를 제일 먼저 경험하는 학교에 자리한 사람은 책임을 더욱 피하기 어려울 것이다. 1) 또래와 교실이라는 공동체가 개인이 겪는 부침(浮沈)을 양해하여 주어 개인의 정서적 안정을 도모할 수 있게 하는 측면과 2) 개인이 사회적 측면의 위기에 처할 때 국가와 세계라는 사회 안전망은 공동체의 따뜻함이 그 기반이 되는 측면, 무엇보다도 3) 건전한 사회가 만들어 내는 건전한 담론이 그 근거이다. 미래 세대에 미치는 긍정적 영향을 생각해서라도 학교는 공동체 의식을 높여야 하는 환경을 만들어야 한다. 거시적으로 접근하지 않더라도, 혼자서는 전혀 문제라고 생각하지 않은 언행이 공동체에서는 용인되지 않는 상황을 인식하여(반대 상황도 있을 수 있다) 도덕적 잣대를 갖출 수 있는 기회가 됨을 보더라도 공동체 의식 고취의 중요성은 명확해진다.

혹자는 고작 공동체 의식이 엄혹하며 분열된 세상을 바꿀 수 없다고 말한다. 또한, 그렇게 모인 공동체가 조그마한 이익 앞에 갈라지는 등 흉해지는 모습을 보라고 말한다. 인터넷에 쉽사리 보이는 서로에 보이는 반목을 보거나, 세계화의 선두 주자였던 유럽 사회와 미국 정계가 난민 수용 문제와 러시아 - 우크라이나 전쟁으로 분열되는 모습, 그리고 현재의 삶을 위해 미래를 끊임없이 희생시켜 빚어낸 예상할 수 없는 기후를 보더라도 한없이 복잡하고 대립할 수밖에 없는 문제가 산적하여 있고, 해결책은 요원한 것처럼 보인다.

우리가 해야 할 선택은?

하지만 그렇다고 해서 우리의 선택이 제한된다고 간주할 수 없고, 쉽사리 우리의 본능으로 말미암아 결단해서는 안 된다. 본능은 필연적으로 자신을 가두고, 그러한 선택 끝에 양산되는 것은 이기심에 의한 돌아올 수 없는 선택이다. 이기심으로 내쳐진 상대는 돌아오지 않으며, 달콤하게 느껴지는 선택지가 그 결과와 책임마저 달콤하게 만들 수는 없다.

우리는 그런 본능에 순응하지 않고 시민 개개인의 강점이 조명되고, 존중과 배려로 말미암아 어느 한 강점이 다른 강점을 상쇄시키지 않는 공동체 속에 살아야 한다. 그런 공동체가 만드는 여론이 만드는 옳은 위력은 본능에 의한 선택이 던져주는 달콤한 독과 비교할 수 없다. 이제 우리는 다른 선택을 해야 한다. 그 선택이 복잡할지언정, 결론을 도출하는 과정이 지지부진하다고 느낄지언정 우리는 다른 선택을 하여야 한다. 그렇게 우리는 미래 세대 앞에 이기적인 선택이 아니라, 1) 자생력을 원동력으로 하고 노력이라는 과정으로 일군 각자의 '특기'와 함께 분명한 도덕적 기준선이 설정된 가운데 느슨하지만 끊어지지 않는 '연대'로 말미암아 본질적으로 문제를 해결하는 선례를 남겨야 한다. 그것이 우리가 열어가야 할 내일의 열쇠이다.

"요즘 사회에 일어난 이슈들 중에서
나를 가장 분노하게 하는 것은
무엇인가?
나는 더 깊이 알고 싶은 것(분야)은
무엇인가?"

한여름의 서울에서 확인한 정도正道

B

당신은 이 글의 저자인 동시에 독자입니다. 저자인 나와 독자인 나는 만날 때마다 새로운 이야기를 만들어 갑니다. 지금 이 글을 읽는 당신의 생각을 여기에 더해보세요. 그것은 내 손을 떠난 글에 새로운 생명과 생기를 불어넣는 일입니다.

한여름의 서울에서 확인한 정도正道

B

학교는 어떤 곳이
될 수 있을까요?

우리 교육이 마땅히 그러하길
바라는 모습을 상상해봅니다.
교육에 대한 자신의 철학을
형성하게 한 일들을 되짚어봅니다.
그를 통하여 어떤 교육철학을 갖게
되었는지 성찰합니다. 현재 우리
교육이 가진 괴리를 인식합니다.

미래교육의 단상

대화한 날_ 2023. 11. 1.

완성한 날_ 2023. 12. 2.

미래교육의 단상

초등학교 교사들에게는 시대가 바뀌어도 학생들이 가장 필요한 기초적인 학습 능력과 생활 습관을 배양시키는 책임이 지속해서 부여되었다. 시국과 상황이 어떻든, '창랑의 물이 맑으면 갓끈을 씻고, 물이 더러우면 발을 닦는다'라는 말처럼 교사는 어떠한 상황에서도 항상 답을 찾아왔다. 분열과 무력감이라는 항상 있는 적과 교권의 붕괴 위험이라는 가까이 있는 적을 앞에 두고도 교사는 학생에게 최선을 다해 필요한 것을 제공해 왔다.

하지만 초등교사들은 현재의 공교육을 통해 기초 생활 습관과 기초 학습 태도를 학생에게 배양시키는 것에 한계가 있음을 지난 9월 4일, <공교육 멈춤의 날>을 통해 온 세상에 피력했다. 현재의 학생 – 학부모 – 학교의 역학과 교육 당국 간 위계로는 더 이상 미래를 대비할 교육을 이어갈 수 없다는 메시지를 던진 것이다. 사회적 문제의 근본적인 책임을 모두 학교에 묻는 현재의 교육제도가 한계에 봉착했다는 메시지에 걸맞은 교육이 대두되어야 한다. 나는 교사로서 직무를 수행하기 위한 힘과 조건을 마련해달라는 목소리에 보답하는 미래지향적 교육을 수행하여야 하는 책임을 이행할 방법을 서술해 보고자 한다.

결과보다 과정을 주목할 내일

미래지향적 교육이라는 말은 쉬운 말이지만 어렵다. 7음절의 낱말을 들여다보는 각도에 따라, 다시 말해서 교육에 거는 기대의 크기와 방향에 따라 현저히 달라지는 말이기 때문이다. 어쩌면 그보다도 와닿지 않는 것이 크다. 교수요목기부터 2022 개정 교육과정에 이르기까지 '교육과정이 변화해 온 방향'과 대다수 국민이 교육이라고 하면 떠올리는, 수요자이자 결과로써의 교육인 '입시가 변화한 방향'은 서로 달랐고, 함께 발을 맞추지 않았기 때문이다. 그렇게 본다면 2007 개정 교육과정 이후 교육과정을 수시로 개정하여도 여론이 크게 호응하지 않는 것은 이상할 일도 아니다. 미래 교육의 논의는 사실 여기서 시작하여야 한다. 어떻게 학창 시절 동안 배우며 투입한 자원을 자기 삶에서 어떻게 결과로써 산출시킬 것인가에 대한 것이다.

지난 시간 동안은 배움의 과정을 얼마나 충실하게 다져왔는지 내신과 수능이라는 제도로 측정해 왔고, 대학과 취업한 곳의 이름값으로 결과를 어느 정도 알 수 있었다. 그리고 그 이름값을 쟁취하고자 하는 그 열망이 이 사회를 지탱될 수 있는 원동력이 되어왔다고, 이따금 들려왔던 흙수저들이 고시에 합격한 입신양명의 이야기가 우리 사회를 훈훈하게 한 적이 있었다. 하지만 그러한 시대상이 바뀌고 있다. 취업과 대학의 상관관계가 점차 떨어지고 있다. 블라인

드 채용이 보편화된 것과 회사에서 지원자에게 요구하는 질문이 대학과 학점의 높고 낮음을 보는 것보다 지원자의 경력을 보는 것이 일상화되었다. 이는 경력의 희소성과 그 경력을 쌓기 위해 기울였던 노력보다는, 모방이나 학업으로는 절대 알 수 없으며 바로 그 경력을 쌓아야만 체화시킬 수 있는 역량을 보는 것이다. 그리고 공정성에 대한 시비가 있지만 대학 입시도 입학사정관제와 고교학점제의 도입을 시도한 것과 교육과정의 개편되며 학생의 '역량'을 강조하는 것 또한 성적이라는 결과 보다는 다양한 선택에 노출된 학생이 거쳐온 과정을 대학이 보아야 한다는 인식의 발로이기도 하다.

이처럼, 미래지향적 교육은 결과를 보는 것보다 과정을 주목하는 교육이면서 미래 사회에 대두될 복잡미묘하게 얽힌 문제를 해결하기 위해 다방면으로 학생의 역량을 쌓아갈 수 있도록 돕는 교육이다. 나는 이제라도 미래지향적 교육을 위해 학생이 다음 두 가지 능력(문제 해결 능력, 의사소통 및 협업 능력)을 반드시 겸비하고, 가급

적 기술 활용 능력과 견문 확장의 경험을 배양할 수 있도록 교육의 주체 모두가 각고의 노력을 다해야 한다고 생각한다.

학생에게 꼭 키워줘야 하는 것 (1) 문제해결 능력

과정, 혹은 문제 해결의 중요성은 학습자의 나이에 비례하여 설득력을 얻는다. 즉, 나이가 어린 학습자에게 문제에 대해 말하고 중요성을 역설하는 것은 시기상조이다. 문제를 해결하는 기술과 능력은 학업이거나 운동이거나 악기를 익히는 등 학생 스스로 역량을 쌓아가는 모든 과정에서 자연스레 축적되고 체화되는 것이 순리이다. 하지만, 그 과정을 자발적으로 밟아가기 어려워하거나 역량 축적의 필요성을 느끼지 못하는 학생이 분명히 있다. 원인은 학교에서 가르치는 것과 자신의 관심사가 다르거나, 아직 자신의 흥미를 못 찾은 것에 있을 가능성이 크다. 그렇다면, 문제해결 능력의 신장을 위해 교육의 주체인 교사와 학부모가 해야 할 일은 무엇일까? 나의 견해로 보건데 문제해결 능력의 전제 조건은 1) 지속적인 특정 분위기의 형성과 이를 위한 2) 주기적인 모니터링 및 피드백 제시에 있다.

우선, '특정 분위기'라는 것은 도전 정신을 불태울 수 있는 분위기, 다시 말하여 '실패해도 괜찮은 분위기'이다. 학생은 저마다 발전의 폭이 다르다. 하지만, 대체로 학생의 연령과 수준에 따른 기대되는 값이 분명히 존재한다. 이때, 앞서 3장에서 언급한 대로 학생이 어떤 결과를 얻더라도 학생 자신이 열정을 다해 산출된 것이라면 이를 지지해 주는 분위기가 필요하다. 단, 성공하든 실패하든 학생 스스로 들일 수 있는 모든 자원을 도입하는 등 제대로 된 도전 과정을 밟도록 해주어야 한다. 성공했다면 그 사례를 다른 학생에게 공유할 수 있도록 정리 및 공유하는 시간이 필요할 것이고, 실패했다면 낙심하지 않도록 지지하는 분위기와 더불어 실패의 원인을 함께 찾아보고 언제든 다시 도전할 기회를 부여할 환경을 조성하기 위해 노력해야 한다. 성공했다면 과업의 난이도에 따라 자신의 강점을 발견하는 계기가, 실패했다면 자신의 오류와 다음

번에 동일하거나 유사한 과정을 밟아갈 때 유의해야 할 점을 배우는 계기가 될 것이다.

물론, 이것은 교사만의 역할이 아니다. 교사는 전지전능하지 않다. 모든 사회적 책임을 짊어지는 것이 학교가 아니며, 학급 학생 수와 학생별 학교생활 및 교사에 대한 정서에 따라서 교사의 역할이 달라질 수밖에 없다. 무엇보다도 주요 양육자인 부모의 역할에 따라 도전적인 분위기 형성이 더 쉬워질 수도, 어려워질 수도 있다. 이에 학부모는 일과 시간 이후에 자녀의 학습 과정을 지켜보고 독려해야 한다. 어린이, 특히 초등학생은 어른과 달리 환경에 철저히 아랑곳하지 않고 학습하기는 쉽지 않다. 발전적인 학습이 일과 시간 이후에 끊어지지 않도록 지속해서 지지 및 모니터링하고, 필요한 경우 교사와 공유하는 것이 필요할 것이다. 기초적으로 갖추어야 할 역량을 갖추는 것을 뛰어넘어, 자신의 특기를 발현할 끈기를 지속시킬 지지적인 환경을 학생에게 확보해줘야 한다. 이는 교사와 학부모가 학생의 배움과 특질을 식별하고 교사의 열정과 책임감을 바탕으로 이를 더

욱 발전시킬 좋은 기회가 될 것이다. 이렇게 학교가 학생이 아무리 실패하더라도 안위를 보장하고, 서로 다른 성공과 행복의 시작을 발견해줄 수 있는 유일무이한 장소라는 장점을 우리는 활용해야 한다.

　　　　이는 비단 학교가 고품질로 제공할 수 있는 학습, 교사가 가장 오랫동안 붙잡아 온 학습이 아니더라도 예외가 아니다. 단지 학생이 특기를 발현하기 위한 교사와 학부모의 선택지가 조정될 뿐이다. 흙 속에 묻힌 씨앗이 아름다운 꽃과 풍성한 열매를 피워내기 위해서는 씨앗 자신이 껍질을 밀어내 깨트리고, 흙을 밀어내어야 한다. 교사와 학부모의 역할은 꽃을 피워내는 것이 아닌 꽃이 피도록 기다리는 것이다. 물과 양분을 줄 수 있을지언정, 씨앗의 표면에 금을 내거나 싹이 틀 길을 열어줄 수 없다. 열어주는 순간 씨앗은 그 생명력을 다한다.

학생에게 꼭 키워줘야 하는 것 (2) 의사소통 및 협업 능력

가정이 아닌 학교에서만 해 줄 수 있는 경험은 가정보다 좀 더 크고 매년 만나는 사람들이 일정하게 바뀌는 사회를 학생에게 마주하게 하는 것이다. 그렇기에 학생이 자연스레 경험할 수 있는 유의미한 경험 중 하나가 매년 바뀌는 친구를 만나 교제하는 방법을 익히고, 상대방과 본인이 다름을 직면하면서 이를 조정하고 납득하는 경험이다. 그 경험은 당사자가 많으며, 이해관계가 복잡한 문제를 해결하기 위해 머리를 맞대야 하는 문제를 해결하는 원동력이 된다. 그렇다면, 그 경험을 넘어서 학생이 서로 소통하고, 함께 협력하여 문제를 해결하는 능력을 키워주기 위해서 교육의 주체인 교사와 학부모가 해야 할 일은 무엇일까? 내가 생각하기로, 의사소통 및 협업 능력의 발전을 위해서는 1) 긍정적인 의사소통을 이어가는 환경과 2) 교육 주체 간 신뢰 및 3) 학생에 대한 지속적인 모니터링 및 피드백 제시가 필요하다고 본다.

학생 개인이, 스스로 말이 문제를 해결할 힘이 있고 상대방을 고려해야 한다는 의식을 갖기 위해서는 학생

모두가 자기 생각을 분명히 개진하되, 타인을 배려하는 방식으로 표현하는 능력 및 교사가 이러한 능력을 발현할 수 있도록 독려하는 환경이 필요하다. 앞서 말하였듯이 학생은 환경 의존성이 다른 교육의 주체인 교사와 학부모에 비해 클 수밖에 없으므로 학생이 논리를 전개하는 능력과 배려하는 표현을 사용하는 방법, 그리고 이를 배양할 필요성을, 어른들은 환기해야 하는 책무가 있다. 교사는 공동체 생활을 영위하는 데 문제가 되는 말과 행동을 학생에게 지도할 때에 교정의 필요성과 올바른 언행의 양식을 가르치는 것에 초점을 두어야 할 것이다.

이 지점에서 학부모의 역할은 명확해진다. 공동체의 운영 원리를 양해하고 납득하는 교육의 주체 중 하나인 학부모의 '인내'와 '양해'가 필수적이다. 자기 자녀가 항상 옳을 수 없다는 인식, 자녀의 뜻이 반드시 관철될 수만은 없음을 받아들여야 하기 때문이다. 자녀가 배려와 양보, 그리고 설득하여 이를 해결할 수 있는 발상을 할 수 있도록 타 교육의 주체를 위해 기다려 줄 수 있어야 한다. 학부모는 학생 스스로 사회생활에서 겪는 '양보'와 '승복'의 가치를 '모욕'과 '피해'로 여기지 않도록 하여야 한다. 또한, 교육실천가인 교사에 대한 신뢰와 함께 협업 및 의사소통 능력, 즉 사회생활의 근간이 되는 기술은 그러한 경험을 통해 발전할 것이라는 확신을 학부모는 가져야 한다.

이처럼 각 교육의 주체에게 주어진 명확하며, 떠넘길 수 없는 역할이 있음을 숙지해야 한다. 문제해결 능력과 마찬가지로 교사는 의사소통 중 학생 개개인의 언행에 보이는 한계점과 개선 방식을 고민하여 학부모와 지속해서 공유하는 것이 필요하다. 물론 이것은 문제 해결 능력에서 언급한 것과 마찬가지로 교사와 학부모가 학생의 역량을 식별하고 학생의 성장 및 언행의 발전을 끌어낼 좋은 방식이다.

학생이 가졌으면 하는 것 - 견문이 넓어지는 경험, 기술 활용 능력

나는 앞서 언급한 미래세대를 살아갈 학생 스스로가 삶에 부여할 의미를 찾고, 혼자 해결할 수 없는 현안을 함께 해결할 원동력을 찾을 수 있도록 교육의 주체는 학생과 손발을 맞추어야 한다고 생각한다. 사회는 점점 다원화되고 있다. 이해관계는 점차 얽히고 있다. 더 이상 성적표와 학교 간판의 위력은 예전의 위력을 되찾을 수 없다. 대학 내에서 보이는 고등학교 이름이 새겨진 점퍼의 존재는 오히려 앞서 언급한 것들을 모두 반증한다. 이 모든 문제를 해결할 힘은 앞서 언급한 협업, 그리고 관심사에 있다.

문제 해결 능력과 의사소통 및 협업 능력을 신장하는 과정에서 자신의 특기를 발견하는 과정이 수반된다. 그 과정에서 자신의 특기와 흥미가 여러 가지라는 것과, 그들이 서로 연관됨을 찾을 가능성도 있다. 그 과정을 겪는 횟수가 늘어날수록 학생의 수준과 역량은 더 빨리 향상될 것은 자명하다. 그렇다면 관심사를 늘리고, 연관시키는 방법은 무엇일까?

그에 대한 답은 견문을 넓히는 것이다. 이를 위해 우선, 교사와 학부모의 열정이 필요하다. 교과서의 틀을 넘어서 존재하는 세계를 학생이 접할 수 있도록 교사와 학부모가 각자의 자리에서 다양한 분야를 소개해 주는 것이다. 이때 어른의 눈높이가 아닌 학생의 수준과 기대를 고려해야 한다. 이를 통해 학생 스스로 세계관을 넓힐 수 있도록 기회를 주어야 한다. 다음으로 기술을 활용하는 것이다. 예전에는 전문가를 직접 만나거나, 독서나 여행과 같은 한정적인 방법으로만 가능했다면, 21세기 사회와 현재의 교실은 그에 매우 쉬워졌다. 바로 정보통신 기술의 보편화 덕분이다. 국민의 정부(김대중 정부) 이후 정보통신 설비가 전국에 정책적으로 갖추어졌으며 코로나-19의 확산 이후 교사들도 온라인 수업에 대비하여야 하는 환경에 직면하여 가정에도 온라인 수업 등 학습에 온라인 컨텐츠를 활용할 폭넓은 기회가 주어졌다. 물론 앨빈 토플러의 제3의 물결 이후 현재의 4차 산업혁명의 정착화에 이르기까지 나날이 고도화 되어가는 정보통신 기술에 학교와 사회가 변화하는 것은 말할 것도 없다.

정보통신 기술은 다른 기술과는 달리 고부가가치 기술이기 때문에 기술의 보유 여부도 중요하지만, 기술의 활용 방안이 중요한 기술이다. 즉, 학생들이 기성세대보다 먼저 기술을 접했다 하더라도 반드시 기술을 잘 다룬다고 말할 수는 없다. 가령 부적절한 컨텐츠를 접하거나 사행성 행위를 하는 등 청소년에게 자기관리 능력과 자제력이 아직 뒷받침되지 않은 상황에서 기술을 잘못 접하는 경우가 있다. 이때 기술은 제 기능을 발휘하지 못한다. 그렇다고 학생에게 정보통신 기술을 접하지 못하도록 하는 것도 바람직하지 않은 것이다. 기술의 잘못된 사용을 예방하는 조치를 하면 된다. 이때, 교사와 학부모는 학생의 특기와 흥미를 키워주는 방향으로 기술을 활용할 수 있도록 미리 해둘 만한 일이 있는데, 크게 5가지로 정리해 보았다.

하나, 정보를 검색하는 방법(영어 검색, 기호를 사용한 검색) 등 기술을 올바르게 쓰는 방법을 익히는 것.

둘, 유튜브 및 각종 어플리케이션에 사전적으로 학습을 위한 설정을 해두어 학습환경에는 노출되게, 유해 컨텐츠 차단 등 유해환경에는 접근하지 못하도록 설정해 놓는 것.

셋, 학생의 수준과 관심사를 관찰하여, 필요한 경우 수준과 관심사에 맞는 컨텐츠에 집중적으로 노출되는 환경을 만들 것.

넷, 정보통신 기기를 사용하는 시간 등 기술을 활용하는 원칙을 만들 것.

다섯, 정보통신 기술의 이점과 좋은 인상을 바탕으로 학생이 스스로 산출물을 만드는 분위기와 도움을 제공할 것.

정보통신 기술을 비롯한 각종 기술이 올바르게 활용된다면 학생은 자신과 같은 관심사를 갖고 있는 사람의 결과물을 함께 공유하고, 특기의 수준과 의미를 끌어올릴 것이다. 학생은 이에 그치지 않고 대외적으로 특기와 노력으로 빚어낸 결과물을 함께 공유함으로써 미래 사회의 지배적인 힘을 가질 기술을 올바르게 활용할 수 있는 힘과 자신의 관심사를 늘려나가는 자기 주도적 삶의 근본을 확립할 것이다.

누려야 마땅할 안온한 미래를 위해

3장에서 밝혔던 미래 교육의 총론을 바탕으로, 구체적으로 내가 열고자 하는 미래지향적 교육을 구상해 보았다. 정리하자면 문제 해결 능력과 의사소통 및 협업 능력이 미래에 필수적으로 갖추어야 할 능력이고, 미래 기술을 활용하여 견문을 넓히며 학생이 가지게 될 특기가 미래의 주역인 학생 자신에게 큰 자산이 되리라는 것이다. 이를 위해 학생을 제외한 교사와 학부모는 각자 부여된 역할을 다하면서 서로 마음의 문을 열어야 한다. 귀는 열고, 말을 아끼며, 기다려 주어야 한다. 그리고 학생 서로가 그렇게 할 수 있는 학교와 교실, 그리고 교육의 주체로 거듭나야 한다.

교육의 주체가 머리를 맞대며 문제를 해결할 역량을 배양할 수 있는 교실, 따듯했고 배려하는 기억을 가진 교실에서 학습한 학생이 만들 미래를 생각해 본 적이 있는가? 안온(安溫)하고 열정적인 교실 안에 살았던 학생이 만들 사회는 사회에서 각자의 특기를 갖고 사는 자생력 넘치는 사회이며, 암묵적인 도덕적 잣대가 분명한 가운데 흑심 없이 언제든 뭉칠 수 있는 사회일 것이다. 우리는 아니더라도 미래 세대는 그런 사회에 살도록 해주어야 하지 않을까?

"나에게 '미래 교육'은 어떤 의미로
다가오는가?
사람은 어떤 순간/무엇으로
성장하는가?
내가 교실에서 했던 어떤 행동이
학생들에게 도움이나 기쁨이 되었다고
생각하는가?"

미래교육의 단상

B

당신은 이 글의 저자인 동시에 독자입니다. 저자인 나와 독자인 나는 만날 때마다 새로운 이야기를 만들어 갑니다. 지금 이 글을 읽는 당신의 생각을 여기에 더해보세요. 그것은 내 손을 떠난 글에 새로운 생명과 생기를 불어넣는 일입니다.

미래교육의 단상

교사인 나를 둘러싼 환경은
어떠한가요?

우리 사회와 교육이 가지길 바라는
모습을, 나의 차원에서 실현하기에
주변 환경이 어떠한지 살펴봅니다.
자신의 교육철학을 이루기에
도움이 되는 환경과 제약이 되는
환경을 짚어봅니다.

바닷물에 젖은 나비는
날고 싶다

대화한 날_ 2023. 11. 8.

완성한 날_ 2023. 12. 2.

바닷물에 젖은 나비는 날고 싶다

바다를 만난 나비?

김기림 시인의 <바다와 나비>라는 짧은 시에는 이런 시구
가 있다.

> "아무도 그에게 수심을 일러준 일이 없기에 흰 나비는
> 도무지 바다가 무섭지 않다."

이 시가 나온 1930년대 후반 2차 세계대전의 광풍이 한반도를 뒤덮고, 독립을 부르짖게 했던 열망이 민족 말살 정책으로 사그라들 위기에 처한 시대였다. 당대의 지식인들은 저마다 자주적인 민주 국가이자, 우리 민족 구성원 개개인이 주권을 스스로 행사하는 나라를 만들고자 했던 의지를 불태웠다. 하지만, 그 의지가 일제의 폭압적인 행태 앞에 얼마나 위태로울지 지식인들은 알고 있었을까. 민족성, 인간성이 말살되는 순간이 얼마나 지속될지 그들은 알고 있었을까. 우리가 알고 있듯이 수많은 독립운동가가 광복에 이르기까지 수없이 희생되었거나 일제의 유혹에 변절하게 되는 역사가 펼쳐졌다. 김기림 시인은 저 시구 이후 그 모습을 짧은 운문에 나오는 나비는 결국 자신의 날개가 바닷물에 젖어 고생하는 모습으로 담아냈다.

무서운 줄 몰랐던 현실을 맞닥뜨리게 된 청춘, 열정이 겪게 되는 아픔을 간결하고 절절히 담아낸 시이다. 그리고 나에게는 프리드리히 니체의 "나를 죽이지 못하는 것은 나를 더욱 강하게 만든다."라는 문장과 함께 병역 휴직 전 교사 시절을 생각나게 하는 시구이기도 하다. 두 문장은 장래 희망을 바꾸고, 4년의 세월을 고향을 떠나 지낸 후 학교 현장에서 실현하고 싶었던 이상을 상당 부분 접어야 했던 23개월의 시간을 단적으로 비춘다. 그렇다면 무엇이 나를 이렇게 힘들게 만들었을까? 오로지 나의 선택과 성품의 문제인 것일까? 아니면 급변하는 세상 속 변해가는 학교의 생리를 몰라서 생긴 문제일까?

물리적으로 바라본 초등학교라는 직장

세상에 직장은 많고 저마다의 특징이 있다. 학생으로서의 초등학교가 아닌, 직장인으로서 초등학교의 특징은 무엇일까?

첫째, "독립적"이라는 특성이다. 교무실에서 근무하시는 분과 특정 과목을 전담하는 선생님을 제외하고, 교실이라는 개별적이며 때로는 배타적인 공간에서 대부분 근무하게 된다. 그러다 보니 다른 교실에서 일어나는 일을 모르고자 한다면, 다시 말해 신경을 끄고 산다면 영영 모를 수 있는 곳이자 반대로 교실에서 생기는 고충에 대해 다른 교실, 선생님께 요청하기가 어려운 곳이 바로 초등학교라는 뜻이다.

둘째, '혼자 책임지는 공간의 집합체'라는 특징이다. 개별적이라는 특성에 걸맞게 교사는 제한적으로 학습활동과 생활지도의 방식을 선정하여 학생에게 지도할 수 있다. 대신, 그에 대해 책임지는 것은 오로지 교사 본인의 몫이 될 가능성이 농후하다. 무엇보다도 교실 문을 닫아버리는 순간에 교실에 있는 성년, 혹은 법적 책임을 오롯이 져야 하는 어른이 교사 한 사람밖에 없다는 특징은 다른 전문직에서 보기 쉽지 않은 특징이다. 물론 타 기능을 전담하는 교사와의 협력이 이뤄지는 순간(가령, 상담교사와 보건교사가 있다)이 있지만 그마저도 다른 직종처럼 상시로 접하기엔 힘든 공간이라는 특징이다.

셋째, '불완전한 여유'가 많은 공간이다. 통념적으로 교사는 출퇴근 시간이 명확하며 근무 여건이 나쁘지 않다고 인식되는 경향이 있지만 실제로는 그렇지 않은 경우가 많다. 학부모와 전화 상담을 할 수 있는 시간은 대부분 교사의 정규 업무시간 이후일 가능성이 크다. 학부모의 근무시간과 교사의 정규 근무시간이 상당히 겹치기 때문이다. 또한 하계방학과 동계방학도 학교의 규모가 작아 당직 근무에 투입되는 경우나 학교 자체 특색사업이 있는 경우 등 시간을 할애하여 근무를 해야하는 경우가 적지 않다. 이처럼 법률적으로는 방학과 퇴근 이후의 시간이 교사에게 자유로이 운용할 수 있는 시간일지 모르겠으나, 현실은 녹록지 않다.

이처럼 교정에는, 각자의 공간 속에 펼쳐가는 각자의 세계관을 가지는 학생을 키울 수 있는 공간이라는 동전의 앞면과 사회적 통념 뒤에 숨은 교사로서의 쓰라림을 공유하기 한없이 어려운 공간이라는 동전의 이면이 공존한다.

훈육과 보육 사이 어딘가

내가 초등학교 교사라고 하면 자주 받는 질문이 있다. 바로 "애들 말 잘 듣나요?"이다. 그때마다 나는 이렇게 답변한다.

"말 잘 들으면 그건 애들이 아닙니다."라고. 어른으로 보기에 초등학생은 보충하거나 고쳐야 할 모습투성이이다. 그리고 그런 학생이 모여 대립할 때 중재하는 것은 결코 쉽지 않다. 자기 성격과 주관을 바탕으로 말하기 시작하지만 각자 놓인 발달의 단계가 다른 경우가 많다. 그렇기에 저마다 다른 욕구를 타인이 수용해 주기를 바라고, 자기 생각을 쉽사리 굽히지 않는다.

　　　　이런 이유로 서로의 입장을 공감하여 공동체성을 갖춘 언행을 지도하기는 어렵고, 쉬워지지 않는다. 이때 교사는 끊임없이 학생 사이에 중재와 설득을 해야한다(때로는 학부모 사이에 중재를 해야할 상황이 생길 수도 있다). 각자의 입장을 파악하고, 마음을 읽는 상담이 필요하다. 상담의 왕도는 없다. 저마다 걸맞은 상담 방법이 다르며 순간순간 정답이 달라질 수 있다. 학생의 언행 수정은 대부분 점진적으로 이뤄진다. 바람직한 선택과 하고 싶은 선택 중에 바람직하고 세련된 선택을 하기 위해서는 기다려야 한다. 어제, 오늘, 그리고 내일 하게 되는 이야기가 똑같더라도 자신의 변화가 준비되어 있지 않은 학생을 독려하고, 안내해 주어야 하는 절차, 즉 훈육이 요구된다. 교사에게는 동일한 본질에 해당하는 이야기이지만 학생에게는 순간순간 다르게 다가오고, 교사가 쓰는 낱말이 조금만 바뀌어도 교사의 언어 자체가 와닿지 않는 경우가 많다.

　　　설상가상으로, 훈육에 대한 난이도와 부담은 치솟는 변수가 생겼다. 첫째, 체벌이 용인되었고 IMF 외환위기를 비롯한 경제적 불안과 세대 간 갈등을 정통으로 겪은 세대가 학부모가 된 것이다. 그들의 경험 속에 있던 교사는 수직적인 분위기와 체벌로 자신을 억압하며 직업의 안정성을 누린 사람들이었으며 자신과는 너무 대조적인 삶을 사는 것으로 느꼈을 것이다. 이를 통해 형성된 학부모의 학교에 대한 인식은 한편으로 자기 자녀가 자신과 달리 온전히 학교에서 하고 싶은 것을 마음껏 하기를 바라는 마음이고, 다른 한편으로는 학교를 자녀의 교육을 믿고 맡기는 기관보다 자신과 자녀에 대한 희망 사항을 최대한 관철해야 할 상대, 우리 학생을 '보육'하는 공공기관으로의 인식을 갖고 있다고 추론

할 여지가 있다. 둘째, 2015년 이후 아동복지법 개정으로 교사의 발언을 정서적 학대로 해석할 수 있는 여지가 생겼다. 자신이 납득할 수 없는 교사의 생활지도를 법적으로 다툴 가능성이 열린 것이다. 셋째, 학교폭력예방법이다. 2012년 이후 발효된 이 법률은 교내 학교폭력 사건은 물론이거니와 교사가 알기 어려운 학교 밖 학교폭력 사건을 학교가 접수하여 문제를 해결하게 되어 있다. 수사권은 없는 상황에서 학교는 제한된 권한 아래 교사의 중재와 학교폭력위원회로 사건의 전후 관계를 파악하고 해결해야 하는 책임을 지는 기관이 되었다. 물론, 학습지도와 학생 지도는 그대로 철저하게 이행해야 하는 상황에서 말이다. 신뢰와 교육의 현장이 견제와 수사의 현장으로 변모할 수 있다는 우려가 나왔다.

불행하게도 우려는 현실이 되었다. 교육활동지원센터(교육활동을 침해당한 교원에 대한 심리치료를 지원하는 기구)의 이용 건수가 2022년 1학기를 기준으로 3만 건을 넘었고, 이미 2021년의 이용 건수를 훌쩍 넘었다. 최근 10년 사이에 교직 만족도는 급감했다. 학부모로부터의 민원과 학교폭력의 신고 이유가 공교육의 취지 및 문제의 심각성에 부합하는지의 여부와는 무관하게 늘어가며 발생하는 비극이다. 서이초 사태도 이와 무관하지 않다.

　　　　이처럼 치솟은 훈육의 위험성과 학생의 자유의지가 자신의 힘을 과시하려는 형태로 발현되는 경우가 증가한 것은 교사 본연의 임무를 위축시켰다. 설상가상으로 공동체 속에 함께 살아갈 수 있게 학생을 가르쳐야 하는 교사에게 법적 분쟁을 돌파하는 힘까지 요구하는 상황이 되었다. 그러다 보니 내가 학생을 긍정적으로 변화시키고 싶다는 열망을 직위해제와 법적 분쟁을 피하기 위한 생존 앞에 과감히 접어버리는 교사가 늘어났다. 본인도 학생의 생활지도를 포기한 교사, 교사의 가장 큰 보람을 줄 수 있게 만드는 학생의 변화를 기대하지 않고자 자기검열로 자기 입과 마음의 문을 걸어 잠근 교사, 학생을 가르치는 것이 아닌 학생을 달래는 것에 바쁜 교사가 점점 늘어나는 모습을 23개월 동안 지켜보았다.

교사에게 '당위'를 부과하는 교육 당국

이러한 상황에 교육 당국이 대응하지 않은 것은 아니었다. 지난 시간 대두된 사회적 현안과 문제를 교육 당국은 책임을 인정하는 자세를 취했다. 그리고, 이를 교육적인 차원으로 끌어와 근본적인 해결책을 마련하겠다고 했다. 가령 세월호 참사에는 안전교육, 서해 수호의 날에는 안보 교육 자료 등 수시로 교육청에서 다양한 계기 교육 자료를 제작, 하달하여 세상과 교육 현장이 유리되어 있지 않음을 보여주고자 했다. 그리고 항상 교육예산을 확보하여 교육시설의 확충하거나 리모델링하는 등 가시적인 변화를 만들어 가도록 하는 등 교육 당국은 노력했다.

초등교육은 학생에게 기본적인 생활과 학습을 할 수 있는 능력을 키워 민주시민으로 사는 삶을 영위토록 하는 것에 의의가 있다. 그 의의는 시대마다 바뀌는 것이 아닌, 항상 요구되었다. 다수의 초등교사는 그리하여 지속해서 그 의의를 달성할 수 있는 법적 안정성 확보

및 정책 집행, 그리고 민원에 대한 대응책 마련과 교육의 주체 사이에서 중재의 역할을 요청했다. 예산 확보와 물리적 환경 개선의 요청은 부수적인 성격이었다. 학습지도와 생활지도를 하기 위한 합의를 주도하고, 뜻있는 교사에게 힘을 실어줄 수 있는 역할을 해달라고 교육 당국에 요청했다.

하지만, 교육 당국의 반응은 교사들이 요구하는 방향과 사뭇 달랐다. 행정부와 시도교육청의 수장이 바뀌면서 생기는 교육부와 교육청의 정책 변화가 급격했던 것, 막상 교사들이 기대한 교육 당국의 행보는 여전히 제자리걸음이라는 점에서 알 수 있다. 그리고, 서이초 사태 이후로 꾸준히 아동학대 관련 법률에서 교사를 원천적으로 배제하여 법적 위험성에서 벗어나 학생을 교육하고자 하는 내용을 담은 법안의 통과를 국회에 요청했던 시기가 있었다. 이때 교육부와 교육청이 보였던 태도가 소극적이었다는 지적이 나오기도 했었다.

이제라도 손을 맞잡아야 할 학교의 구성원들

그렇다면, 우리는 어디로 가야 할까? 우리는 일할 수 있을까? 우리 손으로 할 수 있는 일은 없을까? 우선 외부에서 문제를 찾는 것에 그칠 것이 아니라, 이제 학교 운영의 책임이 있는 한 사람으로서, '내부자'로서 우리는 이제 학교가 이런 지경까지 온 이유를 직면해야 한다. 외적 해결책을 찾지 말자는, 논점을 일탈하는 것이 아니다. 당장 교사 스스로 할 수 있는 일을 찾자는 뜻이다.

내가 본 학교는 구심점이 없었다. 관리자는 하달했고, 교사는 각자의 교실에서 버티기에 바빴다. 외력, 즉 학부모의 악성 민원과 아동복지법의 취약성이 드러났을 때 관리자의 역할이 필요하다고 말하는 교사는 없었다. 교사는 연대하지 못했다. 나는 업무분장이나 성과급 및 가산점 지급에서는 반목하기에 바쁜 모습을, 좀 더 큰 학교, 도심 인근에 있는 학교와 같이 좀 더 일하기 수월한 환경을 찾아가기 위해 관내/관외 전출을 앞다투어 신청하는 교사를 두고만 본 학교의 모습을 보고야 말았다.

독립적인 교실로 구성된 초등학교의 물리적 환경이 우리의 직업을 규정할 권한은 없다. 누구도 부여하지 않았으며, 교사도 그 환경을 끌어들여 단절된 환경으로 학교를 만들어서는 안 된다. 교사들은 연결되어야 한다. 이제라도 협력이 이루어져야 한다. 그리고 대화해야 한다. 교사 개인이 이룩한 교육적 성공이 미치는 긍정적 영향과 함께 모인 교사가 실패에 대해 머리를 맞대어 찾은 해결책이 미치는 긍정적 영향이 더 크며, 물론 함께 이루어 낸 성공이 주는 파급효과는 말할 것도 없다. 교실이라는 틀에서 벗어나 서로 격려하고 위로하며 선배 교사는 경험을, 후배 교사는 사회의 최신경향을 함께 나누었을 때, 우리가 속한 직장이 함께 성숙해지고 성장하는 교실과 학교로 다시 보일 것이다.

그리고, 자신의 이해관계가 걸려있는 문제에 대해서는 관리자가 명령보다는 대화, 보신(保身)보다는 중재를 택하도록 교사가 설득하여 성과급, 인사 문제에 학교가 갈라지지 않도록 나서야 한다. 교사 개인의 선택과 욕망이 오늘날의 사태를 만든 것이 아니라는 점, 그리고 사태가 심각한

만큼 우리가 해야 할 일을 해야 하는 것이 나의 관점이라는 것을 노파심에 다시금 밝힌다. 미래 교육을 저해하는 차가운 교정과 동료의 희생에 이제는 작별해야 한다.

　　　그리고 이제라도 교육 당국은 첫째, 법적 테두리 안에서 수행할 수 있는 일을 다해야 한다. 그것이 잘 보이지 않는다면, 교사의 요청에 응답하는 방안이 있다. 이 말인즉 법 개정이 어렵다면 상향식 정책 결정을, 그것도 어렵다면 그나마도 교사의 요청 가운데 집행할 수 있는 정책을 숙의하여 유죄 선고 전 아동학대 신고 접수에 따른 직무 정지가 이뤄지지 않도록 하는 것이라든지, 아동학대 신고가 들어오지 않더라도 학교가 법적인 자문이나 조력이 필요하다고 판단되는 경우 법적 지원을 아끼지 않는 것과 같이 교육 당국이 지금이라도 나서서 해결할 수 있는 것부터 해결하라는 뜻이다. 둘째, 교사가 교육 당국에 기대하는 역할, '제삼자의 중재'를 교육 당국이 수행해야 한다. 교육의 주체 사이에 처지가 다르다면 초등교육 본연의 임무에 부합하는 방향으로 관리자와 학교 당국이 중재하는 역할을 맡아야 할 것이다. 그러한 지점에서 예산이 추가로 필요하다면, 얼마든지 그러한 예산은 추가 편성하여 문제를 해결하고, 학교를 안정화할 수 있는 방향으로 사용되어야 할 것이다. 이러한 추경(추가 경정 예산)의 편성은 반대할 이유가 없다.

이제라도 걱정 없이 일하고 싶은 대다수의 교사가 다시 용기를 찾고 생활지도에 힘쓸 수 있는 교실이 많아지기를 나는 꿈꾼다. 이를 위해 교사 서로서로가, 교육 당국이 함께 손을 맞잡아야 할 것으로 보인다.

약사에게는 약을, 초등교사에게는 '초등교육'을

앞서 언급한 교육 당국의 정책 집행 방향에 대해서 이야기해 보고자 한다. 바로 교육으로 모든 사회문제를 해결하겠다는 것이다. 나는 어떠한 문제도 교육과 관련이 없는 것은 없다고 생각한다. 하지만, 교육이 문제를 바로잡게 하는 것에는 엄청난 시간이 소요된다. 교육이 사회적 문제를 해결하는 가장 좋은 방법이라는 주장에는 변화하기 위해서 그러한 교육을 받은 학생이 성장하여 사회로 나아가는 데

까지 기다려야 하는 치명적인 한계를 내포하고 있다. 그런 시선으로 말미암아 온갖 계기 교육이 학교 현장에 들어오게 되어 초등교사 본연의 임무가 계기 교육으로 인해 저해되는 상황, 주객이 전도된 상황이 펼쳐지는 것을 나는 23개월 동안 경험했고, 목격했다.

이제라도 학교와 교사가 사회적 이슈를 해결하는 수단이 되지 않게 만들어야 한다. 사회적 현안을 명목으로 학교가 교육과정에 근거하여 차근차근 가르칠 수 있는 것을 급하게 다루도록 하는 것이 과연 학생의 계획적인 변화, 교육에 도움이 될지는 미지수이다. 이제 학교가 교육과정 편성권을 가져야 한다. 위로부터의 교육이 아닌, 밑바탕으로부터의 교육이 필요하다. 학교 교육 본연의 임무를 할 수 있는 곳으로 학교가 돌아와야 할 것이다.

그리고, 교사와 학부모의 책임도 명확히 획정해야 한다. 교사는 절대자가 아니다. 학부모도 마찬가지이다. 학부모의 요구와 외부에서 주어지는 과제가 학교 안에서 완수되기에는 법적, 현실적인 제한사항이 분명히 존재

한다. 학부모가 학창 시절, 그리고 시민으로서 겪는 아픔에 공감이 된다. 하지만 학교는 그런 시대적 배경에 학부모와 학생의 희망 사항을 다 들어주는 '알라딘의 요술램프' 및 샌드백이 될 수 없고, 되어서는 안 된다. 주어진 권한만큼, 그리고 실제로 해야 하고 할 수 있는 만큼 교사는 일해야 한다. 학교에서 책임져야 하는 것과 가정교육을 통해서 더 확고하게 다져야 하는 것에 대해 명확하게 규정하고, 교육의 주체가 그 권한을 서로 침해하지 않도록 해야 한다. 그와 동시에 학교와 학부모가 상호 협력해야 할 것에 대해 상시로 논의하고 합의해야 한다.

형언할 수 없는 고통으로 세상을 등진 교사가 이루지 못한 꿈이 남았고, 나를 죽이지 못했지만 거의 자신을 집어삼킬 뻔했던 고통에 직면했던 교사가 학교에 남아있다. 바다를 만난 나비가 된 초등교사는 이제 바닷물을 털고 날아오르고 싶다. 초등교사는 만사와 민원에 무한 책임을 지는 존재, 학생을 방종할 자유가 있는 존재가 아니다. 초등교사는 학생을 학습과 생활의 면에서는 응당 져야할 '유한 책임'을 지는 학교와 교육의 주체로서 일하고 싶다.

"우리 학교의 풍토(분위기) 중

긍정적/부정적 요인은 무엇인가?

내가 현재 가장 두려워하는/걱정하는

일은 무엇인가?

교사로서 내가 가진 장점은

무엇인가?"

당신은 이 글의 저자인 동시에 독자입니다. 저자인 나와 독자인 나는 만날 때마다 새로운 이야기를 만들어 갑니다. 지금 이 글을 읽는 당신의 생각을 여기에 더해보세요. 그것은 내 손을 떠난 글에 새로운 생명과 생기를 불어넣는 일입니다.

바닷물에 젖은 나비는 날고 싶다

바닷물에 젖은 나비는 날고 싶다

B

교사로서 우리의 이야기를
어떻게 써 내려갈까요?

우리를 둘러싼 환경을
고려하였을 때, 자신의 교육철학을
실현하기 위해 집중할 일 혹은
해결할 문제를 찾아봅니다.

그리하여, 따로 또 같이

대화한 날_ 2023. 11. 15.

완성한 날_ 2023. 12. 4.

그리하여, 따로 또 같이

못다한 이야기

나는 입대하고 한동안 교사로서의 삶을 잠시 망각하며 살아가고자 노력했었다. 군 생활 중에 내가 몰랐던 모습, 그리고 나의 모자람을 스스로 깨달으며 과거에 내가 가르쳤던 학생에게도 이런 모습이 보이지 않았을까 하는 두려움이 튀어나왔기 때문이었다. 학교 안에 있을 때는 몰랐거나 보이지 않은 것들이 보이며 나의 마음이 어지러워졌다. 완벽주의자 성향을 타고난, 자신을 몰아붙이는 것이 익숙한 삶을 살아온 내가 이런 고민에 쉽게 빠져나오는 것이 솔직히 쉽지 않았다. 정답이 없는 것이 인생이라는데, 내가 하는 선택들이 모조리 틀린 것인가 하는 좌절이 들기도 했다. 그러다가 나는 서문에서 밝힌 것과 같이 내가 교사로서 살아온 이야기를 쓸 수 있는 기회를 우연히도 발견하였고, 6주간의 시간에 걸쳐 잊고 있던 내가 걸어온 길을 다시 살펴보고 글로 옮길 수 있었다.

　　　　나는 2023년 4월에 입대하기 직전까지 23개월간 초등 2급 정교사, 문자 그대로 햇병아리 초등교사로 지냈다. 모든 것이 낯설었다. 당연히도 경험이 없었다. 내가 갖고 있는 것은 4년간의 교육대학에서 수학한 것과 4차례의 교생실습, 그리고 합쳐도 채 한 달이 되지 않는 기간제 강사의 경험이 다였다. 그것만으로 사람을 심는 백년을 위한 계획을 실행할 수 있을지 겁이 났다. 1장에서 밝힌 대로 지난 세월 경주마와 같은 인생을 살며 몸에 밴 습관으로 경험과 지혜의 빈자리를 메꾸고 싶었다. 덕분에 선배 교사와 L 수석 선생님이 그런 모습을 보고 칭찬과 격려를 보내주셨던 순간이 있었다. 하지만, 나는 어떻게 하면 더 열정을 기울일 수 있을 것인지, 내가 기울이는 노력의 방향이 맞는 것인지 알지 못했다. 그래서 나는 그 칭찬과 격려가 귀에 들어오지 않았다.

답답했다. 2023년 5월 3일, 왜관초등학교로 신규 발령을 명 받은 날 이후 오랜 시간 1교시가 두려웠다. 시간표와 수업 준비를 하면서도 두려웠다. 수업이 시작되는 8시 50분이 다가오면 어떤 말로 수업을 시작할까 열심히 고심하면서 목이 메어왔다. 그러다가 어떻게든지 시간은 가고, 수업이 흘러가면 그제야 답답함과 긴장을 점차 놓으며 23개월간 일했다. 학급 학생이 한눈에 들어오기까지는 시간이 소요됐다. 교탁 앞을 떠나지 못했다. 그때까지는 수업과 출석에 지장이 있는 학생을 조그마한 메모장에 따로 적으며 수업했다. 그러다 여름이 다가와 전국 최고기온을 살피기 시작할 때가 되어서야 비로소 학생의 얼굴과 인상이, 그해 겨울이 와서야 동학년 선생님과 학급이, 그다음엔 학교의 시스템 가운데 내가 해야 할 일, 할 수 있는 일이 조금이나마 눈에 들어오기 시작했다. 그리고 교사로 복무하는 매 순간순간이 유의미하고, 중요하지 않은 날이 없다는 것을 깨달았다. 나의 노력과 열정으로 내가 맡은 교실 속 구성원이 매일 성장하는 데 일조하고자 하는 꿈이 생겼다. 그 꿈을 위해 나는 무엇을 해야 하고, 할 수 있을까 궁금했다.

　　아이에게 물고기를 잡아주는 것보다는 물고기를 잡는 방법을 가르치는 것이 낫고, 그리고 제일 나은 것은 아이에게 바닷속 세상을 동경하게 하라는 말이 있다. 그 격언과 같이 나는 우선 학교 현장에 익숙해지며 내가 가르쳐야 할 것과 가르치고 싶은 것을 명확하게 설정했다. 그다음 학생에게 가르치고, 전수하고 싶었던 것을 나의 말과 행동, 그리고 습관으로 드러날 수 있도록 노력했다. 나의 진솔한 모습으로 학생에게 동경하는 마음이 들게 하여 내가 내놓는 언행 하나하나가 교과서이자 수업이 되도록 하고 싶었다. 나의 장래와 선택을 바꾼 미소를 학생이 성장하며 기쁨과 보람을 느끼는 모습으로 다시 보고 싶기도 했다. 오로지 나를 바라보고 달려왔던 시간을 멈추고 내가 해야 할 일을 하도록 돌이키게 한 그 학생의 미소와, 미소의 이면에 숨은 부모와 교사의 애정과 헌신 앞에 부끄러워지고 싶지 않았다. 하지만, 나는 내 생각을 행동으로 옮기는 자연스러운 수업 방식을 잘 몰랐다.

그래서 나는 제일 먼저 '선택과 집중'을 하였다. 정규 교육과정과 교사의 권한에 벗어나지 않는 선에서 학생에게 배양해 주고 싶은 것을 정했다. 바로 자생력과 특기, 그리고 도덕적 기준이었다. 바람직하지 않으며 변칙적인 것을 제외하고 교실을 현실과 비슷하게 구현하는 과정이 필요했다. 부산 송수초등학교 옥효진 선생님의 모델을 참고하여 학급자치 활동(학기 초마다 학급 회장, 부회장을 뽑는 활동을 생각하면 편하다)과 경제교육에 신경을 기울였다. 학급회장을 뽑는 것부터 선거 운동을 할 수 있도록 허용했고, 절대적으로 지켜야 하는 규칙을 내가 제시한 것 이외에 학생 스스로 학급 규칙과 크고 작은 일을 결정하는 학급 회의를 상설적으로 운영했다. 다음으로 학급 내에서만 통용되는 화폐를 도입하고, 우리 반이 운영되는데 필요한 일을 직업으로 만들어 월급을 주었다. 그와 더불어 교과목 수업과 연동하여 재

미있게만 생각했던 활동이 실생활에 쓰이는 점을 알려주고자 했다. 또한, 학급의 대소사를 교사가 일방적으로 집행하는 대신 학생에게 어느 정도의 결정권을 주었다. 마지막으로 직업을 수행하며 느낀 책임감과 직책과 화폐라는 가시적 보상, 그리고 새로운 직업과 해야 할 일을 정할 수 있는 학급 회의를 동력으로 삼아서 자신의 특기를 규칙과 직업이라는 수단으로 발견할 수 있도록 했다.

그와 동시에 나는 부단히도 선배 교사의 뒤를 쫓아 노하우를 익혔다. 자신의 목표와 가치를 자신의 수업에 적용하는 선배 교사의 행보를 지켜보고 그들과 자연스레 닮아가고자 노력해 왔다. 선배 앞에 나는 학생으로 돌아가 하나하나 궁금한 것들을 질문했고, 건네받은 답을 집요하게 분석하고 곱씹었다. 그래도 잘 모르겠다면 각종 연수를 닥치는 대로 찾아 신청하였다. 말과 행동이 일치하는 사람, 교육적 가치관을 이루기 위해 묵묵히 사람 농사를 하시는 선배 교사의 모습이 곧 나의 삶이 되고 싶었기 때문이다.

그리하여, 따로 또 같이

하지만, 이런 노력과 선택에 비해 결과는 신통치 않았다. 원인은 나의 급한 마음에 있었다. 목표를 달성하기에 급급했다. 생각보다 많은 숫자의 학생들이 자기 생각과 의견을 제시하지 않고 따르기만 했던 경우가 많았는데, 그들이 참여하도록 재촉하기 바빴던 나는 그들의 마음과 상황을 잘 헤아려주지 못했다. 학생들이 정규수업과 특별활동에서 학생의 이목을 주목시키는 부분에는 집중하지만 학습 목표에는 도달하지 못하거나 노력을 하지 않았을 때 나를 탓을 하기보다 학생들에게 꾸중을 하는 경우가 많았다. 학생이 사고 수준과 학습 수준을 한 단계 높일 수 있는 질문과 발문을 잘 던지지 않고 학생을 다그치거나 학습 목표를 수정하기에 바빴다. 그리고 연수를 들은 것을 충분히 성찰하고 적용하는 방법을 충분히 고민하지 못했다.

문제가 있는 말과 행동의 본질인 반항심과 심리적인 혼란을 인정하면서 교육적으로 지도하는 것이 필요하며, 학습은 불안하지 않은 환경에서 이해할 수 있는 입력과 추가적인 이해가 필요한 상황에 이루어진다. 하지만, 학생의 역동적인 심리와 상황을 인정하는 것에 소극적이었고, 지도하는 방식도 효율적이지 못했다. 자연스레 나로부터 멀어지는 학생이 발생했다. 후회와 나 자신을 향한 원망이 막심했다. 그리고 무엇보다 그런 선택을 밀어붙인 것을 받아들여야 했던 학생에게 미안했다. 하지만 감정에 머무르기만 한다면 발전이 없을 것 같았다. 감정에 머무른다고 나의 책임이 사라지는 것이 아니고, 실패와 좌절이 반복되는 상황을 좌시할 수 없었다. 그래서 나는 가볍게 여겼던 과정과 활동, 그리고 발문에 공을 더 많이 들이고자 했다. 아쉬운 수업은 수업 전체 과정을 복기해보기도 했다. 그 덕분에 성공의 열쇠와 실패의 근거를 준비한 내용 안에서 많이 찾을 수 있었다. 학생의 수준과 맞지 않은 활동이든지, 학생에게 너무 시시한 활동이라든지, 그리고 학생의 이목을 집중시키는 것에 집중해 본질을 놓쳐버린 경우가 그 예이다. 이처럼 23개월간 이루어진 선택 가운데 해야 할 것과 하지 말아야 할 것들이 정리되었다.

그리하여, 따로 또 같이

'따로 또 같이' 걸어가야 할 길

23개월의 교사 생활, 지금, 이 순간까지 이어온 군 생활과 6주간의 연수와 집필 과정을 겪으며 나는 교직에 '정답'은 없다는 것을 깨달았다. 그저 선택지가 있고, 그에 수반하는 책임이 따라왔던 순간의 연속되는 것을 알게된 것 같다. 그 이후 나는 내가 교직에 들어와서 내린 결정을 정리해 보았다. 혹시나 어떤 방향성이 있지 않을까 찾아보고픈 마음과 지난 날의 실수를 반복하지 않겠다는 마음에서였다. 그렇게 나는 나만의 답, 거창한 말로는 나의 교육철학을 찾을 수 있었다. 바로 '따로 또 같이'이다.

담임교사이자 공교육의 주체로 살아가면서 부여되는 책임은 피할 수 없다. 하지만, 그렇다고 해서 모든 교실에서 일어나는 선택과 결정을 오롯이 혼자 할 필요는 없으며 신규교사에게는 그것이 바람직하지도 않다. 무엇보다도 내가 걸어온 길 가운데 어느 순간에도 도움을 받지 않은 적이 없었다는 점이 크다. 초중고 12년간 연이 닿았던 선생님들, 단 한번도 가본 적 없는 지역의 대학에서 4년동안 수학하며 만난 훌륭한 친구이자 동료, 첫 발령지에서 만난 선배 교사, 그리고 나를 기쁘게 하기도, 흔들리게도 했던 학부모와 관리자가 있었다. 그리고 한없이 미안하고 고마운 나의 제자들. 그들 모두 나의 삶을 이곳까지 끌고 온, 나의 교직관과 인생관을 만들어 준 사람들이다. 그들이 나의 삶을 대신 살아주거나, 내가 맡았던 교실에 대신 들어가 수업을 대신 해주지는 않았으나. 그들은 나의 손을 잡아주었다. 내가 도움을 요청했을 때 흔쾌히 자신의 노하우를 공개했다. 롤모델이 되었든 반면교사가 되었든 나에게 교훈을 주었다. 그들이 없었다면 내가 얻을 수 있는 교훈은 없었을 것이다. 오로지 학생과 교실을 비롯한 현실에 대한 푸념과 원망, 그리고 체념이 남았을 것이다.

그래서 이제 나는 확실하게 말할 수 있다. 적어도 공교육의 장인 학교는 '따로 또 같이' 이어져야 한다고, 교사 개개인의 특징과 반의 특성을 외면하지 않는 선에서 모든 교육의 주체가 함께하는 교육이 되어야 한다고, 무엇보다도 교사는 절대 학생을 포기해서는 안 된다

그리하여, 따로 또 같이

고 말이다. 학생을 사랑하러 가는 길을 홀로 가려면 고되고 멀게 다가오겠지만, 조력자가 많으면 많을수록 혼자 짊어져야 하는 부담도 줄어들고 그 길이 멀게 느껴지지 않게 된다.

이제 나는 스스로 다짐한다.

첫째, 어느 학생도 뒤처지지 않도록, 저마다의 특기와 기본적으로 갖추어야 할 능력은 갖출 수 있도록 학생을 기다릴 것이라고,

둘째, 지금 우리의 선택을 보고 배우는 학생을 보아서라도 선후배와 동료 교사에게 귀를 열고 손을 내밀 것이라고,

셋째, 눈앞에 있는 학생과 교실을 둘러싼 현실을 외면하지 말고 끊임없이 도전하겠으며 후배에게 손을 내밀어줄 수 있는 교사가 되어야겠다고.

서로 싸우지만 결국 지구를 구하였던 팀 <어벤져스>처럼 팀 <학교>도 우여곡절을 겪으면서도 저마다의 철학으로 치열하게 고민하여 온 모든 교육의 주체가 합심하여 학생에게 필요한 교육을 제공해야 하는 과제를 완수하리

라 믿어 의심치 않는다. 각자의 특기를 바탕으로 필요하면 언제든 서로 연대할 수 있는 학생을 세상에 보낼 수 있길 나는 꿈꾼다.

그렇기에 나는 따로 또 같이 살아가는 학교에서, 부끄럽지 않은 교사로 일하고 싶다. 그리고, 나는 만들고 싶다. 우리 모두 '따로 또 같이' 나아가는 교실을.

그리하여, 따로 또 같이

"1주-5주차에서 발견한 나의 가치관이 앞으로 학급 내 수업에서 어떤 영향을 줄까요?

1주-5주차에서 발견한 나의 가치관이 앞으로 학교 내에서 어떤 영향을 줄까요?

이런 노력들이 나의 삶에 어떤 영향을 주게 될까요?

정년 퇴직이 해피 엔딩이라면 교사로서의 삶을 앞으로 어떻게 채워 나가고 싶나요?"

당신은 이 글의 저자인 동시에 독자입니다. 저자인 나와 독자인 나는 만날 때마다 새로운 이야기를 만들어 갑니다. 지금 이 글을 읽는 당신의 생각을 여기에 더해보세요. 그것은 내 손을 떠난 글에 새로운 생명과 생기를 불어넣는 일입니다.

그리하여, 따로 또 같이

그리하여, 따로 또 같이

B

좌절의 늪에서 희망을 그리다

: 햇병아리 초등교사의 생존일지

저자_ 이동현
발행_ 2023. 12. 25.

펴낸이_ 이상수
펴낸곳_ beside books
출판사등록_ 제561-2022-000043호(2022. 5. 17.)
주소_ 경기도 수원시 영통구 영통로200번길 21
전화_ 010-2853-2423
인스타그램_ instagram.com/beside.books
편집 / 디자인_ 서현지 이경준 정휘범

ISBN_ 979-11-92865-24-9

B